dtv

»Michael schildert unverblümt, wie grausam, aber auch wie liebevoll und gutmütig Menschen sein können.«

Münchner Merkur

»… eine schillernde und bewegende Biografie …«

Main-Echo

Theodor Michael kommt 1925 in Berlin als viertes und jüngstes Kind des Kolonialmigranten Theophilus Wonja Michael aus Kamerun und seiner deutschen Frau Martha zur Welt. Ein Jahr nach seiner Geburt stirbt die Mutter. Die Halbwaisen wachsen, teils unter erbärmlichen Umständen, bei Pflegeeltern auf. Als 1934 auch der Vater stirbt, werden die Geschwister getrennt. Michael darf nach der Volksschule aufgrund seiner Hautfarbe keine weitere Ausbildung machen und schlägt sich als Page, Portier und Komparse durch, bis er 1943 in einem Arbeitslager interniert wird, wo er auch die Befreiung erlebt.
Nach dem Krieg gründete er eine Familie mit einer jungen Schlesierin, war als Dolmetscher und Schauspieler tätig, studierte auf dem zweiten Bildungsweg Volkswirtschaft und entwickelte sich zu einem anerkannten Afrika-Spezialisten. Als solcher wurde er schließlich vom BND angeworben. Nach seiner Pensionierung trat er wieder als Schauspieler auf und engagierte sich in der afro-deutschen Community.
Er lebte mit seiner zweiten Frau in Köln, wo er am 20. Oktober 2019 im Alter von 94 Jahren starb.

THEODOR MICHAEL

DEUTSCH SEIN UND SCHWARZ DAZU

Erinnerungen
eines Afro-Deutschen

Mit einem Nachwort
von Manfred Kock

Mit Bildteil

dtv

Meinen und unseren Enkeln gewidmet

Dieses Buch ist auch als E-Book erhältlich.

Ausführliche Informationen über
unsere Autorinnen und Autoren und ihre Bücher
finden Sie unter www.dtv.de

Ungekürzte Ausgabe 2015
5. Auflage 2021
dtv Verlagsgesellschaft mbH & Co. KG, München

Umschlagkonzept: Balk & Brumshagen
Umschlagfoto: Martha und TheophilusMichael,
die Eltern des Autors (ca. 1915, Privatarchiv)
Satz: Greiner & Reichel, Köln
Druck und Bindung: Druckerei C.H.Beck, Nördlingen
Gedruckt auf säurefreiem, chlorfrei gebleichtem Papier
Printed in Germany
ISBN 978-3-423-34857-7

Inhalt

Der eine: »Ja, genau so ist es gewesen.«
Der andere: »Aber genau so war es nicht.«

Weiße Mutter, schwarzer Vater

Als ich in Berlin zur Welt kam, war das Jahr 1925 gerade 15 Tage alt. 14 Tage vorher hatte der apostolische Nuntius Eugenio Pacelli, der spätere Papst Pius XII. dem Reichspräsidenten Friedrich Ebert die Glückwünsche des diplomatischen Korps überbracht. Niemand rechnete damit, dass Friedrich Ebert keine zwei Monate später sterben würde. Nach seinem Tod wurde der greise Feldmarschall Paul von Hindenburg, die lebende Legende seit dem Sieg über die russische Armee bei Tannenberg, Reichspräsident. Von all dem wusste ich natürlich nichts und hatte, wie mir später erzählt wurde, überhaupt große Mühe, auf die Welt zu kommen und am Leben zu bleiben. Meine Mutter war bei meiner Geburt bereits schwer krank und starb ein Jahr später.

Sie stammte aus dem kleinen Dorf Jersitz nahe der Provinzhauptstadt Posen, aus einer Familie von braven preußischen Handwerkern und Kleinbauern. Es muss schon eine kleine Revolution gewesen sein, dass sie um 1910, 25-jährig, nach Berlin, der Hauptstadt des Reiches, aufbrach. Und dort traf sie schließlich ausgerechnet meinen Vater, der aus einem ganz anderen Teil der Welt stammte. Mehr weiß ich darüber nicht. Als Kind hatte es mich nicht weiter interessiert. Später hätte ich gerne mehr erfahren, aber da waren beide Eltern schon tot. Meine Verwandten mütterlicherseits halfen mir auch nicht weiter. Sie verstummten jedes Mal, wenn die Rede auf meinen Vater kam. Er war, so lange ich denken kann, ein Tabuthema in der Familie meiner Mutter.

Aus den Erzählungen meiner älteren Geschwister und der Verwandten weiß ich jedoch, dass meine Mutter eine schöne und intelligente Frau gewesen war. Sie konnte sogar Klavier spielen. Wo immer ein Klavier stand, setzte sie sich hin und spielte ohne Noten. Wie es überhaupt dazu gekommen war, blieb mir ein Rätsel. Ihre

Familie in Jersitz konnte sich mit Sicherheit kein Klavier leisten, geschweige denn Klavierunterricht.

Über den Grund dafür, warum sie das Dorf in der Provinz verlassen hat, kann ich nur Vermutungen anstellen. Als sie 1915 meinen Vater heiratete, brachte sie einen Sohn, Herbert, mit in die Ehe. Ein uneheliches Kind in dieser Zeit – das muss sehr schwierig für eine junge Frau gewesen sein. Vielleicht dachte sie, dass es einfacher ist, mit dem Kind in der Großstadt zu leben. Herbert wuchs aber nicht in der neuen Familie auf. Meine Mutter hatte zwei jüngere Schwestern, meine Tanten Else und Friedel. Beide hatten ihre Verlobten im Ersten Weltkrieg verloren und blieben ledig. Sie nahmen Herbert zu sich und zogen ihn groß. Nach der Heirat meiner Eltern kamen in kurzen Abständen drei weitere Kinder zur Welt, meine älteren Geschwister Christiane, James und Juliana.

Meine eigenen Erinnerungen beginnen mit der zweiten Frau meines Vaters, die, wie meine leibliche Mutter, mit Vornamen Martha hieß. Die Ehe dauerte nicht lange. Nach etwa einem Jahr ließ sie sich scheiden. Da war ich noch keine vier Jahre alt. Sie fühlte sich der Belastung einer Ehe mit einem Afrikaner nicht gewachsen. Beide Ehefrauen meines Vaters hatten ja nichts gewusst über das traditionelle afrikanische Sozialverhalten, das mein Vater und seine Landsleute aus Kamerun mitbrachten. Es kollidierte mit dem Leben im Europa der Zwanziger- und Dreißigerjahre des vergangenen Jahrhunderts. Mein Vater war kaum zu Hause, und meine Stiefmutter hatte es mit vier unbezähmbaren fremden Kindern zu tun. Dennoch hätte sie mich, das Nesthäkchen, nach der Trennung gerne zu sich genommen, ohne den Rest der Familie. Aber das ließ mein Vater nicht zu.

Alle weiteren Versuche meines Vaters, eine Frau für sich und eine Mutter für seine Kinder zu finden, scheiterten. Die Frauen waren durchaus an meinem Vater interessiert, denn er war ein gut aussehender, stattlicher und höflicher Mann, er hatte Charme. Aber vier Kinder zwischen vier und dreizehn, das war ihnen doch zu viel. Zumal mein Vater kein stetiges Einkommen vorweisen konnte, keinen soliden materiellen Hintergrund für seine große Familie.

Nach der Scheidung meines Vaters von Martha Schlosser, so der Mädchenname meiner Stiefmutter, fiel es meiner ältesten Schwester Christiane zwangsweise zu, die Mutterrolle in der Familie zu übernehmen. Sie war es, die die Jüngeren versorgte, einkaufen ging, Essen kochte, die Wohnung in Schuss hielt und mit den Geschwistern Schularbeiten machte. Vater liebte uns sehr, aber er war bei aller Liebe und allem guten Willen nicht in der Lage, seinen Vaterpflichten nachzukommen. Er begann an sich selbst zu verzweifeln. Irgendwann fing er an zu trinken und war dann erst recht überfordert. Auch Christiane war zweifellos überfordert, denn sie war ja mit ihren knapp 13 Jahren selbst noch ein Kind und ging noch zur Schule. Aber sie wuchs in dieser Zeit mit der Verantwortung für die Familie über sich selbst hinaus.

Zu meinen frühesten Erinnerungen gehört das Einnehmen von Lebertran, zur Bekämpfung der Rachitis, der »Englischen Krankheit«, wie man damals sagte. Das war täglich eine Prozedur bei drei lautstark protestierenden Kindern, denen ein weiteres Kind mit der Flasche und einem Löffel in der Hand den widerlichen Inhalt einflößen musste. Ich als Jüngster nahm eine Sonderrolle ein. Ich quengelte viel, heulte bei jeder Gelegenheit und verpetzte die Großen bei meinem Vater. Was bei ihm wiederum dazu führte, dass er mich bevorzugt behandelte. Meine Geschwister haben das als ziemlich abscheulich empfunden. Ich war – und bin das bis heute geblieben – ein langsamer Esser. Die leckersten Stücke bewahrte ich mir gerne bis zum Schluss auf. Meine Geschwister waren viel schneller und griffen dann auf meinen Teller, um sie mir zu klauen. Ich war bei ihnen wirklich nicht sehr beliebt. Wahrscheinlich machten sie mich auch unbewusst für den frühen Tod unserer Mutter verantwortlich.

Mein Vater war eine große markante Erscheinung mit edlen afrikanischen Gesichtszügen. Er war stolz, herrisch und jähzornig. Er war aber auch gutmütig und bereit, das Letzte zu geben, wenn jemand ihn um Hilfe bat. Das war ein Wesenszug, der seine beiden Ehen erheblich belastete. Fast immer, wenn er nach Hause kam, hatte er im Schlepptau einen oder mehrere »Landsleute«. Sie tauchten auch sonst ganz plötzlich auf und wurden selbstverständlich bewirtet. Während der Zeit der Weimarer Republik bestand die afrikanische Diaspora in Berlin hauptsächlich aus Menschen, die aus den deutschen Kolonien stammten, und ihren Familien. Für uns waren alle Afrikaner und alle, die – modern gesagt – »schwarz« waren, »Landsleute«, ganz gleich, wo sie herkamen oder welche Nationalität sie hatten. Sie wurden von uns Kindern mit »Onkel« und »Tante« angeredet. Einbezogen waren auch alle Abkömmlinge der »Landsleute«, die späteren »Afro-Deutschen«.

Meine Mutter und später meine Stiefmutter konnten bei solchen Anlässen zusehen, wie sie die zusätzlichen Mäuler stopften. Auch wir Kinder waren nicht gerade erfreut über das Auftauchen von »Landsleuten«. Denn nach guter alter afrikanischer Tradition bekamen immer die Gäste die feinsten Sachen, und wir mussten zurückstecken.

Die Wurzeln in Kamerun

Mein Vater Theophilus Wonja Michael wurde, so steht es im Familienstammbuch, am 14. Oktober 1879, fünf Jahre vor Beginn der deutschen Kolonialherrschaft, in Victoria, im Bimbialand an der Atlantikküste Kameruns, geboren. Heute heißt dieser Landstrich Malimbe. Seine weit verzweigte Familie hieß ursprünglich M'Bele, nach anderer Schreibweise und auch phonetisch »M'Bella«. Der in der deutschen Kolonialgeschichte bekannte William Bell, der den Vertrag über den Anschluss des Duala-Landes an Deutschland ausgehandelt hat, kommt auch aus dieser Familie. Bell entspricht M'bele. Das konnten die Europäer nur schwer aussprechen und ließen deshalb das »M« weg. Der Großvater meines Vater wurde am Michaelitag getauft und seitdem ist Michael unser Familienname.

Einer der Vorfahren meines Vaters war Bona N'golo Mbimbi a M'Bele. Er war der Namensgeber des späteren Bimbia. Mag sein, dass sich auch der abwertende Begriff »Bimbo« für Schwarze davon herleitet. Dieser Mann war einer der berüchtigten afrikanischen Fürsten gewesen, die in der Zeit des Sklavenhandels reich und mächtig wurden. Die in den europäischen Quellen üblichen Bezeichnungen »Häuptling« oder »Chief« sind eher irreführend. Es waren Männer, die die Elite ihrer Völker bildeten, in einer Sozialstruktur, die an diesem Teil der Küste weitgehend feudalistisch war. Als die Baptisten aus der Karibik um die Mitte des 19. Jahrhunderts im Lande Bimbia Fuß fassten und die Missionsstation Victoria gründeten, war die frühere Macht dieser Fürsten allerdings größtenteils dahingeschwunden. Die ersten Europäer, die in das Land kamen, berichteten von endlosen Kämpfen und Auseinandersetzungen unter den führenden Familien, von Intrigen und Kabalen, die sie untereinander und miteinander führten. Einige dieser Potentaten waren nicht unfroh, als sich die europäischen Mächte, England, Frankreich und Deutschland, plötzlich für diesen Küstenstreifen zu interessieren begannen. Erhofften sie sich doch, die Fremden für die Durchsetzung ihrer eigenen, persönlichen Ziele einsetzen zu können.

Bekanntlich kam es nicht so. Den Wettlauf um Kamerun gewannen die Deutschen, und die hatten ganz andere, eigene Vorstellungen und Ziele als die einheimischen Potentaten. Ab etwa 1875 hatten Kaufleute aus Hamburg und Bremen begonnen, mit den »Chiefs« an der Küste Handel zu treiben. Diese Kaufleute wollten ungehindert ihren Geschäften nachgehen, und zwar auch im Hinterland von Kamerun. Das wiederum wurde ihnen von ihren afrikanischen Geschäftspartnern, die selbst den Handel im Hinterland für sich monopolisiert hatten, verweigert. Damit wollten sich die Hanseaten nicht abfinden und verlangten, dass die Beauftragten der Regierung in Berlin sogenannte »Schutzverträge« zu ihren Gunsten mit den einheimischen Fürsten und Königen abschlossen. Ein solches Ansinnen stand zunächst im Widerspruch zu den Plänen des damaligen Reichskanzlers Otto von Bismarck. Er war eigentlich ganz und gar gegen Kolonien. Denn deren Unterhalt würde den Staat – seiner Meinung nach – nur Geld kosten und nichts einbringen als Ärger, den das Deutsche Kaiserreich, so kurz nach seiner Gründung und dem Ende des Deutsch-Französischen Krieges von 1870/71, nicht gebrauchen konnte.

Aber das berüchtigte »Scramble for Africa« hatte begonnen und die Reichsregierung folgte diesen Forderungen letztlich doch. Man entsandte Gustav Nachtigal, den deutschen Konsul in Tunis, um entsprechende Verträge mit den afrikanischen Fürsten zu schließen. Darin nannte man diese Länder irreführend »Schutzgebiete«, nach damaliger Rechtsauffassung Protektorate, eine Zwitterbezeichnung. Am Ende setzte sich der Begriff »Schutzgebiete« für die deutschen Kolonien durch und hielt sich auch über das Ende der deutschen Kolonialzeit hinaus.

De facto war Kamerun nunmehr eine Kolonie des Deutschen Kaiserreiches. Ich gehe davon aus, dass die afrikanischen Fürsten, die diese Verträge mit ihren Kreuzchen gegenzeichneten, den genauen Wortlaut gar nicht kannten. Zum einen konnten sie selbst zumeist weder lesen noch schreiben. Denn Lernen war nach ihrer Auffassung »Arbeit« und deshalb für »Adelige« nicht standesgemäß. Erst später, als die Missionare Schulen einrichteten, in die vor allem unterprivilegierte Familien ihre Kinder schickten, merkten sie, dass sie einen schwerwiegenden Fehler gemacht hatten. Die Kinder aus »adeligen« Familien fühlten sich plötzlich gegenüber den »nicht adeligen« Kindern benachteiligt, was zu sozialen Konflikten führte, von denen die Kolonialmacht und ihre Vertreter überhaupt nichts merkten. Zum anderen wurde der Wortlaut der schriftlichen Verträge durch die oft mehrfachen mündlichen Übersetzungen bis zur Unkenntlichkeit verändert. Ich kann mir nicht vorstellen, dass diese Fürsten freiwillig ihre Autorität, Selbstständigkeit und ihren Landbesitz mit der eigenen Unterschrift einer fremden Macht preisgegeben hätten.

Das Original dieses Vertrages über den Landstrich Malimbe bzw. Bimbia ist nicht mehr auffindbar. Mein Großvater und mehrere andere Fürsten, die damals das Land regierten, hatten ihn mit einem Kreuz gezeichnet. Darunter standen ihre Namen. Der Journalist und Afrika-Reisende Hugo Zöller war in amtlichem Auftrag am Abschluss dieser Verträge beteiligt und hat 1885 ein Buch darüber veröffentlicht mit dem Titel ›Die deutschen Besitzungen an der westafrikanischen Küste‹. Darin wird unter dem Namen »Freeborn« auch mein Großvater erwähnt. Freeborn ist in etwa die englische Übersetzung von »Wonja« bzw. »Wonjange« oder auch »Wonjunge« in der Duala-Sprache. Mehr konnte ich über die Wurzeln meiner Familie auch in Kamerun nicht in Erfahrung bringen.

Einer der wenigen positiven Aspekte der deutschen Kolonialzeit war die Einführung von Schulen. In der Regel wurden sie von den christlichen Missionen getragen, und mein Vater hatte das Glück, eine solche besuchen zu dürfen. Es war das Ziel aller jungen Kameruner, insbesondere aus den aristokratischen Familien, unter allen Umständen nach Europa zu gelangen, um teilzuhaben an Kenntnissen, Fortschritt und Reichtum dieses Kontinents. Mein Vater gehörte zu diesen aufbruchsbereiten jungen Männern, die weg wollten aus der Enge der Stammesgesellschaft, aus der Bevormundung einer Kolonialverwaltung, aus Lebensverhältnissen, die so völlig anders waren als diejenigen, die die Repräsentanten von Kamerun ihren Familien begeistert beschrieben hatten, als sie von der Ersten Kolonialausstellung 1894 in Berlin nach Hause zurückgekehrt waren. Europa bzw. Deutschland erschienen wie das Gelobte Land. Wer es jedoch tatsächlich schaffte, nach Deutschland zu kommen, sah sich mit Umständen und Erfahrungen konfrontiert, die nichts mit paradiesischen Zuständen zu tun hatten. Daran hat sich bis heute nichts geändert.

Die Geschichte meines Vaters

Über den genauen Zeitpunkt, zu dem mein Vater nach Berlin kam, herrscht Unklarheit. Der Familienüberlieferung nach war das schon 1896, aber gesichert ist seine Anwesenheit erst ab 1903. Vorher, so die Familienüberlieferung, sollte er auf einer christlichen Missionsschule in England zum Priester ausgebildet werden. Er aber flüchtete von dort und ging nach Deutschland. Das war ihm möglich, weil er als Einwohner der deutschen »Schutzgebiete« einen entsprechenden Ausweis hatte. Verbürgt ist weiter, dass er am U-Bahn-Bau in Berlin arbeitete. Es war eine der wenigen Möglichkeiten, als »Ungelernter« gutes Geld zu verdienen. Eine »aristokratische« Beschäftigung war es definitiv nicht. Die amtlichen Eintragungen von damals geben als Beruf »Arbeiter« an.

Anfang der Zwanzigerjahre war er als Komparse beim damaligen Stummfilm tätig. Meine älteren Geschwister und später auch ich wurden oft von ihm ins Studio mitgenommen und ebenfalls engagiert. In einer frühen Stummfilmversion von Shakespeares ›Ein Sommernachtstraum‹ spielte meine ältere Schwester Christiane den Puck, James und Juliana waren zwei Elfen. Das war noch vor meiner Geburt. Die Lehrer waren über diese Engagements nicht begeistert, denn wenn die Kinder »beim Film« arbeiteten, konnten sie natürlich nicht die Schule besuchen.

Wir fanden das Leben mit unserem Vater immer spannend. Er versuchte ständig, die Einkünfte für sich und die Seinen zu verbessern. Auch wenn er die Gagen mit den Filmgewaltigen aushandelte. Dazu nahm er gerne seine Kinder mit. Die benahmen sich dann »afrikanisch«, d.h. sie waren ziemlich laut. Das verkürzte die Verhandlungen zu seinen Gunsten, denn es erzeugte bei den Verantwortlichen den dringenden Wunsch, diese Bande schnell wieder loszuwerden. Ähnlich taktisch ging mein Vater bei größeren Einkäufen vor. Gerne betrat er die Läden am Montagmorgen als Erster, weil er wusste, die Händler würden ihn nicht aus dem Laden lassen, bevor er etwas gekauft hatte. Das war eine gute Gelegenheit für ihn, kräftig zu feilschen. Diese Einzelhändler waren oft Juden. Aber mit dem damals bereits grassierenden Antisemitismus hatte sein Verhalten nichts zu tun. Ich bin mir sicher, er wusste gar nicht, was das bedeutete. Er hatte einfach Freude am Handeln.

Solche Geschichten waren typisch für ihn. Eine andere hat mir viel später einer seiner Freunde erzählt. Es gab da eine Zeit, wohl vor dem Ersten Weltkrieg, in der mein Vater über größere Geldmittel verfügte. Woher er die hatte, weiß ich nicht genau. Vielleicht hatte ihm die Familie aus Kamerun Waren geschickt, im wahrsten Sinn des Wortes Kolonialwaren, die er in Deutschland verkaufte. Er war also »flüssig«. Man riet ihm dringend, das Geld doch bei einer Bank anzulegen. Er folgte diesem Rat, ging zur Bank und legte das Geld auf den Tisch. Der Bankbeamte stellte ein Sparbuch aus, strich das Geld ein und verschwand damit. Mein Vater stand nun da, ohne Geld, aber mit einem kleinen Heft in der Hand, dessen Bedeutung er nicht wirklich verstand. Ihn beschäftigte die Frage, was dieser Bankmensch mit seinen Geldscheinen gemacht hatte. Also ging er am nächsten Tag wieder in die Bank und verlangte das Geld zu sehen, das er gestern eingezahlt hatte.

Der Bankbeamte verlangte nun seinerseits das Sparbuch, das mein Vater aber nicht bei sich hatte. Er wolle das Geld doch nur sehen und wissen, was die Bank mit seinem Geld gemacht habe. Ob es überhaupt noch vorhanden war, wohin es eigentlich verschwunden sei. Die beiden konnten sich nicht verständigen. Der Bankbeamte sah keinen Anlass dafür, mit einem Menschen zu verhandeln, der »sein Geld sehen« wollte und sich noch dazu überhaupt nicht als Kunde der Bank ausweisen konnte.

Er überredete schließlich meinen Vater, nach Hause zu gehen, das Sparbuch zu holen und damit wiederzukommen. Gesagt, getan. Mein Vater kam erneut in die Bank, legte das Sparbuch vor und verlangte nun endlich »sein Geld sehen« zu dürfen. Also stellte der Bankmensch eine Quittung aus, schrieb irgendetwas in das Sparbuch und schickte ihn an die Kasse. Dort legte der Kassierer ihm den Betrag vor, mein Vater zählte nach, alles stimmte. Dann schob er das gesamte Geld zurück, sagte »Danke« und verlangte sein Sparbuch zurück. Das wurde ihm verweigert. Das Geld war wieder ausgebucht, das Sparbuch war eingezogen. Er konnte »sein Geld« wieder mitnehmen. Das wollte er aber gar nicht. Es kam zu einer längeren, lautstarken Diskussion, in die sich auch andere Kunden und Bankangestellte einmischten. Die Bank konnte gut auf Kunden verzichten, die den normalen Betrieb aufhielten, weil sie nur »ihr Geld sehen« wollten. Die schönen braunen und blauen Scheine landeten wieder dort, wo sie auch vorher schon gelegen hatten: in einer alten Zigarrenkiste.

Die Zeit verging. Die Inflation kam. Die alten Geldscheine wurden wertlos. Meine Geschwister entdeckten die Zigarrenkiste und benutzten die schönen blauen und braunen Scheine als Spielgeld für den Kinderkaufladen. Das wiederum machte meinen Vater fuchsteufelswild, denn er konnte – oder wollte – nicht begreifen, dass diese Scheine keinen Wert mehr hatten. Er war der Meinung, dass sie irgendwann wieder ihren alten Wert zurückbekommen würden. Schließlich stand ausdrücklich darauf, dass sie jederzeit in Gold eingetauscht werden konnten, besiegelt, was noch wichtiger war, durch die Unterschrift des Kaisers. Dass es den Kaiser nicht mehr gab, wusste mein Vater wohl, aber seiner Meinung nach war das nur ein vorübergehender Zustand. Dass es sich nicht um die Unterschrift des Kaisers handelte, wusste er nicht. Und dabei blieb es. Die Geldscheine landeten wieder in der Zigarrenkiste, und beim Kaufmannsladen-Spiel wurde – wie vorher auch – »angeschrieben«.

Völkerschau

Nach dem verlorenen Ersten Weltkrieg musste ein Drittel des ehemaligen Reichsgebiets an Nachbarländer abgetreten werden, und auch die Kolonien waren für Deutschland verloren. Das kümmerte aber die im Reich hängen gebliebenen »Schutzangehörigen« aus diesen verlorenen Kolonien wenig. Nicht nur mein Vater, auch andere Kameruner hatten mit deutschen Frauen Familien gegründet. Soweit sie nicht Staatsangehörige eines der 25 Bundesländer der neuen Republik waren, bekamen sie nun den Status »ehemalige Schutzangehörige«. Rechtlich änderte sich damit für sie vorerst nichts. Man rechnete immer noch mit der Rückgabe der Kolonien. Es gab sowohl im Reichstag als auch in der Öffentlichkeit eine große Lobby dafür. Die ehemaligen Kolonialangehörigen hatten nach wie vor die Reisepässe des Deutschen Reiches und konnten sich im Inland wie vor dem Krieg bewegen. Sie konnten auch ins Ausland reisen, nur eines konnten sie nicht: wählen. Das war vor dem Krieg, zu Kaisers Zeiten, nicht anders gewesen. Die Kolonien hatten nicht den Status eines Bundeslandes und somit kein Wahlrecht.

Ansonsten änderte sich doch einiges. Nationalistische Parteien und Medien, rechte Gruppierungen machten Propaganda gegen die Stationierung afrikanischer Truppen (zumeist Nordafrikaner) im französisch besetzten Rheinland. Es entstand eine allgemeine afrikanerfeindliche Stimmung, die auch die »deutschen« Afrikaner und ihre Familien zu spüren bekamen. Natürlich richtete sich diese Propaganda vor allem gegen Frankreich, den »Erzfeind«, aber man schlug den Sack und meinte den Esel. Afrikaner verloren, soweit sie überhaupt eine regelmäßige Beschäftigung gehabt hatten, ihre Arbeit (»Der nimmt einem von uns die Arbeit weg.«). Unter diesen Umständen gestaltete sich die Arbeitssuche als schwierig. Auch angesichts von Millionen »deutscher« Arbeitsloser. Sie waren überhaupt nicht mehr gut gelitten, die Afrikaner, die doch bisher als afrikanische Landsleute bezeichnet wurden. »Sollen sie dahin gehen, wo sie hergekommen sind!«, war die allgemeine Auffassung im Land.

Mein Vater scherte sich wenig um derartiges Gerede. Er musste schließlich vier Kinder ernähren. Und so kam er mit seinem Anhang in der Völkerschau des Zirkus Holzmüller unter, der mit einer bunten Schar exotisch aussehender Musiker, Tänzer und Artisten durch Deutschland tingelte. Jeder Vier-Masten-Zirkus, der etwas auf sich hielt, schaffte sich damals eine Völkerschau an. Sie sprossen wie Pilze aus dem Boden. Personal dafür gab es genügend. Für die deutschen Afrikaner war dies neben der Komparserie beim Stummfilm eine der wenigen Verdienstmöglichkeiten, da ihnen ja nun sogenannte »bürgerliche« Berufe verschlossen blieben. In diesen Völkerschauen sollten sie das sein, was sich die Menschen in Europa in den Zwanziger- und Dreißigerjahren des vergangenen Jahrhunderts unter »Afrikanern« vorstellten, ungebildete, mit Baströckchen bekleidete, kulturlose »Wilde«.

Schon sehr früh begann ich, diese Völkerschauen und meine Mitwirkung dabei gründlich zu hassen. Wo ich ging und stand, wurde ich begafft, wildfremde Leute fuhren mir mit den Fingern durch die Haare, rochen an mir, ob ich echt sei, sprachen in gebrochenem Deutsch und in Zeichensprache mit mir, in der Annahme, ich würde sie nicht verstehen. Das begann lange, bevor ich zur Schule ging. Und dennoch gehörte diese Zeit zu den eher glücklichen meiner Kinderjahre. Das unstete, aber bunte Leben, das wir mit unserem Vater führten, gefiel uns Kindern sehr.

Irgendwann, es dürfte noch im Jahr 1929 gewesen sein, setzte das Jugendamt in Zusammenarbeit mit dem Vormundschaftsgericht diesem Herumziehen meines Vaters mit seinen Kindern ein Ende. Man stellte fest, dass mein Vater, wie es im amtlichen Schreiben hieß, »nicht in der Lage sei, seinen vier unmündigen Kindern ein ordentliches Leben zu sichern«. Nur, wie hatte ein »ordentliches Leben« im Deutschland dieser Zeit auszusehen? Wer wollte sich mit diesen »undisziplinierten«, exotisch aussehenden Kindern abgeben, was sollte aus ihnen werden? Am besten, sie blieben im Showbusiness, da gehörten sie ja auch hin. Also erst einmal ab ins Waisenhaus. Dann wurde die Familie auseinandergerissen, die Kinder wurden verteilt. Zu Pflegeeltern. Christiane kam zur Familie von Mohamed ben Ahmed, der eine »ostafrikanische Schau« führte und von dem noch viel zu erzählen sein wird. Sie war inzwischen 15 Jahre alt und sollte dort den Haushalt »lernen«. James kam zur marokkanischen Truppe von Abdulla Bonamanes. Es war eine sogenannte Springertruppe, die in bunten Fantasiekostümen menschliche Pyramiden baute und Salto mortale sprang. James war zierlich und elastisch und stellte in dieser Truppe den »Obermann«.

Juliana und ich, wir kamen »bürgerlich« bei Clara Krone unter. Eine sehr mütterliche großherzige Frau, die, selbst kinderlos, Pflegekinder aufnahm. Wahrscheinlich auch, weil es vom Jugendamt dafür Geld gab. Ihren Lebensunterhalt verdiente sie sich unter anderem mit Näharbeiten, und an ihr stundenlanges Sitzen an der Nähmaschine erinnere ich mich noch genau. Sie nähte auch für mich, ich war immer gut angezogen und ihr ganzer Stolz. Sie hat, vor allem Fremden gegenüber, immer so getan, als sei ich tatsächlich ihr eigener Sohn. Ich nannte sie auch »Mutter«. Sie hat, das wurde mir erst viel später klar, bis zu meinem achten Lebensjahr eine ausgezeichnete Erziehungsarbeit an mir geleistet.

Sie war zudem Besitzerin eines Süßwarenladens, der aber verpachtet war. Mir erschien sie alterslos, sie war aber mit einem Mann liiert, der viel jünger war als sie, und der als »Untermieter« auch in der Wohnung lebte. Ihn habe ich als »Onkel Hermann« in guter Erinnerung. Wir wohnten im obersten Stock eines großen Mietshauses mit vielen Hinterhöfen in der Saarbrückerstraße, mit einem weiten Blick über den Kiez Prenzlauer Berg.

Von der Wohnung aus konnte man auch in den ersten von mehreren Hinterhöfen sehen. Da erschien oft ein Leierkastenmann und spielte zur Freude aller Hausbewohner fröhliche und auch traurige Musikstücke. Manchmal war ein dürres Mädchen – oder war es seine Frau? – dabei, die sang sogenannte Küchenlieder oder Balladen. Die Zuschauer und Zuhörer warfen dann in Zeitungspapier gepackte Pfennige in den Hof. Wir Kinder waren nicht mehr in der Wohnung zu halten und rannten hinunter in den Hof, um das Musikereignis von Nahem zu erleben. Der Poet und Ingenieur Heinrich Seidel hat in dem Gedicht ›Die Musik der armen Leute‹ dem Beruf des Leierkastenmannes ein Denkmal gesetzt.

Vom Fenster aus bewunderten wir die Müllmänner, die mit ihren langen Lederschürzen und dicken Handschuhen zu zweit die schweren Müllkästen mit einer Hand am Griff und mit der anderen über Kreuz – die Schulter des Nachbarn stützend – aus den Hinterhöfen auf die Straße zu den Müllwagen schleppten. Ein Ereignis waren auch die Bollewagen, deren Kutscher Milch und Milchprodukte verkauften. Anfänglich waren es noch Pferdewagen, später wurden sie mit leisen Elektromotoren betrieben. Wir Kinder hängten uns gerne hinten an die Griffe und ließen uns mit dem Roller ziehen. Der Bürgersteig vor den Häusern bestand aus großen rechteckigen Quadern, die sich ausgezeichnet zu Hüpfspielen eigneten, Spiele, die die Mädchen gerne spielten und bei denen wir Knaben fasziniert zuschauten, ohne mitzumachen, denn das war ja nur etwas für »Mieken«.

Die für uns Michael-Kinder zuständige Fürsorgerin vom Jugendamt stammte selbst aus dem Artistenmilieu und unterhielt immer noch beste Kontakte zu diesen Kreisen. Und so vermittelte sie Juliana zu einer Seiltänzertruppe, die »Rosetti« hieß. Sie hatte es recht gut dort, konnte aber wegen Ausbruchs einer Krankheit, die ihr die Ausübung des Berufes als Seiltänzerin unmöglich machte, nur zwei Jahre bleiben. Danach kam sie wieder zurück zu »Mutter Clara«.

Schule

Eines Tages bekam ich eine große, mit Obst und Süßigkeiten gefüllte Tüte in die Hand und musste zur Schule. Die war gleich in der Nähe. Am ersten Tag in der Pause kam ein etwa gleichaltriger Junge auf mich zu, strahlte mich an und sagte: »Wollen wir Freunde sein?« Natürlich sagte ich Ja. Er hieß Horst, wurde »Hotte« gerufen, hatte strohblondes störrisches Haar und Sommersprossen. Sein Vater war, wie viele andere Väter auch, arbeitslos. Hotte durfte deshalb wie ich an der täglichen Schulspeisung teilnehmen, die eine christliche amerikanische Organisation – ich glaube, es waren die Quäker – für die deutschen Kinder nach dem Ersten Weltkrieg eingerichtet hatte. Wir trafen uns, spielten und machten zusammen Schularbeiten. Aber bald zogen seine Eltern fort und wir haben uns nie wieder gesehen.

Insgesamt machte mir die Schule großen Spaß, ich fand viele Freunde dort und hatte immer Begleitung auf dem Schulweg. Im Unterricht benutzten wir im ersten Jahr noch Schiefertafeln und uralte Fibeln, die schon Generationen von ABC-Schützen in den Fingern gehabt hatten. Ich lernte sehr schnell und saß in der ersten Bank, die Bank für die Besten im Unterricht. Wer schlechte Noten hatte, rutschte nach hinten, wer Pech hatte, landete in der letzten Bank. Natürlich entwickelten wir alle – es war eine reine Jungenschule – ziemlichen Ehrgeiz, ganz nach vorne zu rutschen.

Meine erste Lehrerin hieß Frau Hering. Wir Schüler riefen immer »Fräulein«, denn Lehrerinnen waren zu dieser Zeit meistens unverheiratet. Sie korrigierte dieses »Fräulein« jedes Mal nachdrücklich in »Frau«. Mein gutes Verhältnis zu den anderen Kindern und Schulkameraden hatte aber auch Schattenseiten. Bei den Streichen, die Jungen in dem Alter nun mal unternehmen und an denen ich teilnahm, wenn auch oft nur passiv, war ich der Einzige, den man – aufgrund seines Aussehens – identifizieren konnte. Ratschlag meiner Pflegemutter: »Halte dich fern von den bösen Buben.« Er half nicht viel.

Mein Vater kam uns oft in der Saarbrückerstraße besuchen. Manchmal nahm er mich auf einen Spaziergang durch den Kiez mit. Bei einem solchen Spaziergang sahen wir einmal einen Aufzug von bräunlich gekleideten Männern. Von der anderen Seite kam eine Gruppe mit Schalmeienmusik. Als beide Gruppen aufeinanderstießen, gab es eine furchtbare Prügelei. Plötzlich hörten wir die Signale, tatütata, der Berliner Schutzpolizei und mein Vater sagte: »Nimm deine Beine in die Hand, Junge, wir müssen rasch hier weg.« Die Polizei prügelte ihrerseits die Prügelnden auseinander und wir hatten Angst, etwas abzubekommen. Ich verstand natürlich nichts. Erst viel später habe ich begriffen, was da vor sich gegangen war. Die einen waren die Nazis und die anderen die Kommunisten.

Politisch waren »Mutter« und »Onkel Hermann« auf der linken Seite des politischen Spektrums anzutreffen. Sie besuchten hin und wieder Veranstaltungen der SPD und auch der KPD. Ich erinnere mich an Volksfeste der Kommunistischen Partei, zu denen Onkel Hermann mich mitnahm und wo viel von »Rot-Front« geredet wurde. Mit Onkel Hermann streifte ich per pedes quer durch Berlin, durch Friedrichshain und den Tiergarten, auch durch den Zoo. Er kannte viele Tricks, wie man ohne zu zahlen an den Kassen vorbeikam, und ich bewunderte ihn sehr dafür. Zum Beispiel kannte er einen unbewachten Notausgang im Zirkus Busch am S-Bahnhof Börse, der während der Vorstellungen immer offen stand und durch den wir nach Beginn der Nachmittagsvorstellungen reinschlüpften, wenn sich die Platzanweiser schon zurückgezogen hatten. Ich liebte die Zirkusatmosphäre, mit ihren Künsten, mit den Artisten und Tieren. Nur die Rolle, die ich darin zu spielen hatte, habe ich aus vollem Herzen gehasst.

An einer Wand des Wohnzimmers hingen nebeneinander zwei Bilder von den Reichspräsidenten Ebert und Hindenburg. Über der rechten Ecke des Bildes von Ebert befand sich ein schwarzer Streifen. Bei Mutter Clara und Onkel Hermann spielte Religion keine Rolle und ich wurde auch nicht angehalten, in die Sonntagsschule, wie der Kindergottesdienst im damaligen Sprachgebrauch hieß, zu gehen. Religionsunterricht gehörte zur Schulpflicht und wurde von uns Kindern hingenommen wie alle anderen Unterrichtsfächer auch.

Mir gefiel eigentlich alles an der Schule. Die Lehrer, die Schulkameraden, die Fächer. Mein liebstes Fach war Zeichnen. Wo sich ein leeres Stück weißes Papier fand, malte ich darauf herum. Und Lesen. Ich las, was immer ich in die Finger bekam. Zeitungen, vor allem solche mit Bildern, Illustrierte, Bücher, einfach alles. Das meiste verstand ich noch nicht, konnte es auch noch nicht einordnen und fragte meine Umgebung deshalb Löcher in den Bauch. Vor allem Onkel Hermann. Der wusste einfach alles und hatte auf alles eine Antwort. Aber auch Mutter und Juliana waren damals meine Quellen der Erkenntnis.

Irgendwann ließ mein Vater – eher beiläufig – einen Satz fallen, den ich mir gemerkt habe, dessen Bedeutung mir aber damals noch nicht richtig bewusst wurde: »Kinder, nur lernen allein reicht nicht, ihr müsst mehr können als die anderen, sonst schafft ihr es nicht.« Es ist auch ziemlich die letzte Äußerung von ihm, an die ich mich noch erinnern kann. Er wurde krank und immer kränker und brachte mehr und mehr Zeit in Krankenhäusern und Asylen zu. Er war sozial und wirtschaftlich völlig abgerutscht. Sein Charme zog bei der Weiblichkeit nicht mehr. Seine früheren Freunde kümmerten sich nicht mehr um ihn, finanziell gab es nichts mehr zu holen, und so tauchten auch die »Landsleute« nicht mehr auf.

Eine kleine Geschichte aus dieser Zeit hat mir später meine Schwester Juliana erzählt. Im Nachbarbett im Krankenhaus lag ein Mann, auf dessen Nachttisch ein Bild von einem Uniformierten mit einer Hakenkreuz-Armbinde stand. Eines Tages nach einem Besuch von Frau und Kindern des Bettnachbarn fragte ihn mein Vater, wer denn der Mann auf dem Bild sei, ein Bruder oder sonstiger naher Verwandter? Der Bettnachbar war entrüstet. Das sei doch Adolf Hitler, der Führer seiner Partei, der demnächst die Regierung übernehmen und Deutschland wieder groß machen werde. Mein Vater machte ein erstauntes Gesicht und fragte, ob er denn mit ihm verwandt sei, was der Bettnachbar natürlich verneinte. Mein Vater verhielt sich, als verstehe er die Welt nicht mehr. Das Bild eines fremden Menschen statt das seiner Frau und seiner Kinder auf den Nachttisch zu stellen, das wollte ihm nicht in den Kopf. Er zeigte auf seine Töchter Christiane und Juliana, die gerade zu Besuch waren, und dann auf das Bild von den vier Kindern auf seinem eigenen Nachttisch. Schließlich lachten beide über das Missverständnis. Meine beiden Schwestern, denen bei diesem Gespräch eher mulmig wurde, waren über diese Auflösung sehr erleichtert.

Der Reichstag brennt

Solche Menschen wie diesen Bettnachbarn hat es hunderttausendfach gegeben. Ich weiß bis heute nicht, ob diese Frage eine gezielte Provokation meines Vaters war, was man ihm durchaus zutrauen konnte, oder echte Naivität. Ich kann mir jedenfalls kaum vorstellen, dass er nicht wusste, wer dieser Adolf Hitler war. Denn er und seine berüchtigte SA-Truppe waren in Berlin des Jahres 1932 sehr präsent. Soweit ich das aus meiner kindlichen Perspektive wahrnehmen konnte, war die öffentliche Meinung über Adolf Hitler geteilt. Die einen, Kommunisten und Sozialdemokraten, lehnten ihn von vornherein ab. Die anderen wollten ihm zumindest eine Chance geben, wussten aber nicht, was genau er wollte. Die Monarchie wieder einführen, den Versailler Vertrag revidieren? Deutschlands frühere Größe wiederherstellen und dies auch geografisch? Dass er um die Jahreswende 1932/33 der kommende Mann war, spürten alle, auch seine Gegner. Unter anderem auch wegen seines Versprechens, die hohe Arbeitslosigkeit abzuschaffen.

Unser Kinderleben war zunächst nicht unmittelbar beeinflusst von dieser unruhigen politischen Stimmung, auch wenn wir die Straßenkämpfe, politischen Umzüge, Propaganda-Plakate und Fackelzüge durchaus mitbekamen. Eines Tages hieß es dann: Flaggen heraus! Und: »Deutschland, erwache!« Die Straßen waren voll mit Fahnen, in der Mehrzahl schwarz-weiß-rot als Trikolore, dann die Hakenkreuzfahne, die ebenfalls schwarz-weiß-rot war, und die schwarz-weiße Preußenfahne. Gelegentlich sah man auch schwarz-rot-gold, Rot fast überhaupt nicht mehr. Es war ein kalter Tag im Februar 1933, als der Ruf »Der Reichstag brennt!« durch die Saarbrückerstraße lief. Wer von den Erwachsenen Zeit hatte, eilte an den Ort des Geschehens, kam aber nicht in die Nähe, denn die Polizei hatte das Gebiet weiträumig abgesperrt. Wir Kinder sahen das leuchtende Rot des brennenden Reichstags aus dem Fenster, verstanden die Aufregung der Erwachsenen aber nicht, brannte es doch alle naselang in Berlin und das Tatütata der Feuerwehr war uns sehr vertraut. Mutter und Onkel Hermann diskutierten danach mit Nachbarn und Freunden über die möglichen Täter und die Folgen. Alle waren überzeugt, dass die Nazis den Reichstag angesteckt hatten, war er ihnen doch besonders verhasst. Die »Quasselbude«, wie er, aber nicht nur von den Nazis, genannt wurde.

Einige Wochen später änderte sich das Leben von uns Kindern doch. Unsere Fürsorgerin, Frau Marlow, kam eines Tages aufgeregt zu Mutter Clara und erzählte von Veränderungen in ihrem Amt. Sie werde in Kürze versetzt und da, wo sie hinkomme, könne sie nichts mehr für uns, die Michael-Kinder, tun. Die neue Regierung habe da andere Vorstellungen, die für uns eher bedrohlich seien, und es sei besser, wenn Juliana und ich ins Ausland gingen. Der Vater, der gerade mal wieder im Krankenhaus lag, habe zugestimmt. Die beiden älteren Kinder, Christiane und James, seien mit ihrer jeweiligen Artistentruppe ja ohnehin schon weg. Sie wisse da einen Weg. Da müsse man aber schnell handeln, weil sie später nach ihrer Versetzung keinen Einfluss mehr auf die weitere Entwicklung der Kinder habe.

Es wurde ein sehr schmerzlicher Abschied von der so geliebten Mutter Clara und Onkel Hermann, von meiner Schulklasse und meinen Freunden im Kiez. Man hatte uns gesagt, dass wir aus taktischen Gründen erst noch ins Waisenhaus müssten. Alleine das Wort klang schon außerordentlich erschreckend. Gab es doch damals die Steigerung »Waisenhaus, Erziehungshaus, Arbeitshaus, Zuchthaus«.

Wir wurden von einer anderen Fürsorgerin in der Saarbrückerstraße abgeholt und ins Städtische Waisenhaus gebracht. Dort mussten wir uns völlig ausziehen, die persönlichen Sachen verschwanden und wir bekamen eine Art Anstaltskleidung. Der nächste Schritt war die Isolierstation. Nach Jungen und Mädchen getrennt. Der Raum, in dem ich alleine untergebracht war, erschien mir riesengroß, es gab mehrere leere Stockbetten, einen Tisch, ein paar Kinderstühle, einen Linoleumfußboden, der stark nach Krankenhaus roch, ein Fenster, das so hoch war, dass ich nicht rausschauen konnte, und eine Kiste mit hölzernen Bausteinen zum Spielen. Ich hörte wohl die anderen Kinder im Haus, sah aber niemanden. Für mich war eine Welt zusammengebrochen. Zuerst die Trennung von Mutter Clara und dann die völlige Verlassenheit in diesem Raum.

Solange ich zurückdenken konnte, war ich immer mit anderen Kindern zusammen gewesen und nun war ich völlig allein. Hin und wieder kam eine Betreuerin herein zum Waschen und Essenbringen. Sie wechselte ein paar Worte mit mir und ging wieder. Die Tür – das war das Schrecklichste – konnte nur von außen geöffnet werden, es gab innen keine Klinke. So etwas hatte ich bisher nie erlebt, hinter von außen verschlossenen Türen eingesperrt zu sein. Es blieb für mich eine Horrorvorstellung ein ganzes Leben lang. Ich fühlte mich vollkommen hilflos und verlassen. Ich schrie und weinte nur noch. Der gute Wille der Pflegerinnen und Betreuer kam dagegen nicht an. Obwohl sie mir versicherten, nach einer Woche sei alles vorbei. Das konnte mich kaum trösten. Doch plötzlich fand meine Isolation tatsächlich ein Ende. Ich wurde in die Kleiderkammer geschickt und ganz neu eingekleidet. Ich durfte mir sogar raussuchen, was ich anziehen wollte. Dort sah ich auch Juliana wieder. Man sagte uns, wir kämen zu neuen Pflegeeltern, die stünden schon vor der Tür. Und tatsächlich wurden wir dem uns bekannten Mohamed ben Ahmed, Onkel Mohamed, übergeben, mit dem wir damals, Ende der Zwanzigerjahre, als Familie, in der Völkerschau beim Zirkus Holzmüller aufgetreten waren.

Mohamed ben Ahmed stammte aus dem damals spanischen Teil Marokkos. Er war zur französischen Armee gegangen, als der Erste Weltkrieg ausbrach, dann aber im Stellungskrieg auf die deutsche Seite desertiert und konnte deshalb nach dem Ende des Krieges nicht mehr nach Frankreich bzw. Marokko zurück. Er war nach Berlin gezogen und hatte als Koch in der afghanischen Gesandtschaft gearbeitet, bevor er seine Lebensgefährtin und spätere Ehefrau, Martha Walzer, kennenlernte und gemeinsam mit ihr das Geschäft mit den Völkerschauen begann. Onkel Mohamed fuhr mit uns zum Schlesischen Bahnhof, wo wir Wolde Tadek trafen, den wir ebenfalls von früher kannten. Tadek stammte aus Äthiopien und war wohl auch irgendwann vor dem Ersten Weltkrieg nach Deutschland gekommen. Zu dritt stiegen wir in einen Zug. Weder Juliana noch ich wussten zu dem Zeitpunkt, was das Ziel der Reise war. Tatsächlich war es Lüttich. Onkel Mohamed händigte Tadek die Fahrkarten und unsere Kinderpässe aus und verabschiedete sich.

Ich war noch vollständig mit mir selbst beschäftigt. Ich konnte das alles nicht verstehen, den Verlust meiner Heimat in der Saarbrückerstraße, die Trennung von Mutter Clara und Onkel Hermann. Ich begriff überhaupt nicht richtig, was da um mich herum vorging. Plötzlich hatte Tadek eine heftige Auseinandersetzung mit dem Zugschaffner. Onkel Mohamed hatte Fahrkarten für einen Erwachsenen und zwei Kinder gekauft. Juliana war aber zu diesem Zeitpunkt schon zwölf und galt nach den Bestimmungen der Reichsbahn als Erwachsene. Wir drei hatten jedenfalls eine halbe Fahrkarte zu wenig. Tadek sollte nun nachzahlen. Aber das konnte er nicht, er hatte nicht genügend Geld dabei. Resultat: Entweder musste Juliana an der nächsten Station des D-Zuges aussteigen oder er. Schließlich stieg er aus und wir Kinder fuhren bei Aachen allein über die Grenze weiter nach Lüttich, wo uns Quer, ebenfalls ein Landsmann von Onkel Mohamed, am Bahnhof abholte.

Tadek tauchte ein paar Tage später wieder auf. Wie es ihm in der Zwischenzeit ergangen war, habe ich nie erfahren, es interessierte mich damals auch nicht sehr. Noch bevor er den Zug verließ, hatte er uns gesagt, dass die Truppe von Onkel Mohamed und seiner Frau, Tante Martha, in Lüttich im Zirkus Jakob Busch bereits auf uns wartete.

Juliana wusste damals auch nicht viel mehr als ich und kannte die näheren Umstände nicht. Später haben wir die Zusammenhänge mühsam rekonstruiert. Die Sorge unserer Fürsorgerin Frau Marlow war, wie man weiß, durchaus berechtigt gewesen und sie musste das Tante Martha gegenüber, die sie ja seit Jahren kannte, erwähnt haben. Tante Martha und Onkel Mohamed lebten seit Mitte der Zwanzigerjahre zusammen. Sie waren damals noch nicht verheiratet, hatten aber zwei gemeinsame Söhne, Günther und Herbert.

Onkel Mohameds Völkerschau-Truppe wurde jeweils nach Anfragen von Zirkussen und Rummelplätzen aus den in Deutschland lebenden »Landsleuten« zusammengestellt. Zu der Zeit bestand seine Truppe aus zwei Teilen, eine für einen Zirkus in der Tschechoslowakei und eine andere für den Zirkus Jakob Busch, der eine Tournee durch Belgien machte. Die Völkerschau in der CSR leitete Onkel Mohamed und Tante Martha die in Belgien. Für diese Völkerschauen wurden auch Kinder gebraucht. Die beiden hatten meinen Vater bearbeitet, dass er angesichts der Gefährdung seiner Kinder durch das neue Regime der Ausreise mit den ben Ahmeds ins Ausland zustimmte.

Mein Vater, der alles für seine Kinder getan hätte, befand sich gerade wieder einmal wegen seiner Herz- und Alkoholerkrankung im Krankenhaus und war leicht zu überzeugen. Er hatte schriftlich der Erziehungsgewalt der neuen Pflegeeltern Tante Martha und Onkel Mohamed zugestimmt. Da es aber formal nicht möglich war, Kinder ohne triftige Gründe unmittelbar von der einen Pflegefamilie in die andere zu übergeben, wurde das Waisenhaus als neutraler Ort eingeschaltet. Alles hatte nun seine formale Richtigkeit. Nur wir

Kinder wurden überhaupt nicht gefragt. Es wurde einfach über uns verfügt. Es gab niemanden, keine Person und keine Organisation, an die wir uns hätten wenden können.

Das Zirkusmilieu hatte uns wieder. Aber es war alles andere als romantisch. »Zirkuskinder« hatten zahllose Pflichten und so gut wie keine Freizeit. Sie wurden frühzeitig zur Disziplin gezwungen und lernten – oft auch mithilfe von Schlägen – sich ganz in den Dienst der Familien bzw. »Truppe« zu stellen. Da war nicht viel Raum für das Ausleben von persönlichen Wünschen. Eines hatten Zirkuskinder in der Regel aber gewiss, die Liebe ihrer Eltern und Verwandten. Und genau daran fehlte es uns. Vater war weit weg und konnte uns nicht helfen, weil er selbst immer hilfloser wurde. Christiane war wie mein Bruder James nach dem 30. Januar 1933, als Adolf Hitler Reichskanzler wurde, nicht mehr nach Deutschland zurückgekommen bzw. in Frankreich geblieben. Unsere Pflegeeltern hatten kein persönliches Interesse an uns, nur an unserer Arbeitskraft. Sie hatten zwar meinem Vater versprochen, ihm das Geld, das sie als Pflegeeltern für uns bekamen, zukommen zu lassen. Doch ich bezweifle sehr, dass sie diese Zusage tatsächlich eingehalten haben. Sicher hatten sie ihm auch vorgegaukelt, dass sie uns wie eigene Kinder behandeln würden. Aber sie versuchten gar nicht erst, nähere Beziehungen zu uns aufzubauen. Juliana und ich waren für sie Fremde und völlig auf uns gestellt.

Zirkuskind

Auf Tournee gab es außer am Aufbautag zwei Vorstellungen täglich. Außerdem wurden auch neue Programmteile geprobt. Wir mussten für die Familie ben Ahmed arbeiten. Juliana war praktisch das Dienstmädchen und ich bekam ähnliche Aufgaben. Dreimal am Tag hatte meine Schwester das Geschirr zu spülen. In den engen Wohnwagen gab es keinen Platz, wo man das schmutzige Geschirr hätte stehen lassen können. Ich hatte es abzutrocknen. Ich musste täglich Wasser an der zentralen Wasserleitung holen, die für das Personal und auch für die Tiere auf jedem neuen Platz eingerichtet wurde, und ich musste täglich die Schuhe für die ganze Familie putzen. Die Plätze waren oft schlammig, schon gar, wenn es geregnet hatte. Dann waren die Schuhe besonders schmutzig und schwer zu reinigen. Ich bekam regelmäßig Ohrfeigen, wenn sie nicht sauber genug waren. Außerdem hatte ich noch auf die beiden kleinen Söhne unserer Pflegeeltern aufzupassen.

Zu den ersten Dingen, die ein Zirkuskind lernt, gehörte das Füllen eines Strohsacks, der als Matratze diente. Die Direktion ließ bei Beginn der Sommertournee ein paar Ballen Stroh aufschütten und die Artisten und das technische Personal konnten damit ihre Strohsäcke füllen. Am Ende der Saison wurde das Stroh verbrannt. Es war nach sechs bis acht Monaten zu Häcksel geworden und oft voller Ungeziefer. Mit diesem Ungeziefer – meistens Wanzen – schlugen sich früher alle Bewohner von Zirkuswagen herum. Die Wanzen nisteten hinter den Bretterwänden und überlebten auch die kältesten Winter, wenn die Wagen überhaupt nicht bewohnt waren. Es ekelt mich auch heute noch, wenn ich nur daran denke. Wenn es zu schlimm wurde, räucherte man den betroffenen Wohnwagen für ein paar Tage mit Schwefel aus. Dann war wieder für ein paar Monate Ruhe. Aber man wurde der Plage nie völlig Herr.

Bei der Wohnwagen-Verteilung gab es eine genau eingehaltene und respektierte Hierarchie. Zuerst kam der Direktionswagen, der oft schon Gummiräder bzw. Pneus hatte; danach die Teilnehmer der Starnummern, zu denen die Luftnummern und auch die Dompteure der Raubtier- und Elefantennummern zählten; dann die sogenannten Bodentruppen, Jongleure und Springer, die Mitglieder der Zirkuskapelle, Tänzer und Tänzerinnen. Dann kamen die Mitglieder der Völkerschauen und ganz zuletzt die Zirkusarbeiter. Die Zirkusarbeiter kamen fast immer aus Böhmen oder Polen. Sie wurden wie die Artisten jedes Mal neu für eine Tournee angeheuert, meistens nur für die Sommertournee. Im Winter waren sie regelmäßig arbeitslos. Die Artisten dagegen konnten in den festen Zirkus- und Varieté-Häusern zumindest jeweils zwei Monate unterkommen. Dann mussten auch sie weiterziehen. Diese Winterpausen wurden genutzt, um Neues auszuprobieren und einzustudieren.

Neben den Wohnwagen gab es noch die Tierwagen, in denen die Tiere für die Auftritte in der Manege untergebracht wurden, und auch diejenigen, die man für die Tierschau brauchte. Neben der Völkerschau hatte jeder Zirkus, der etwas auf sich hielt, auch eine Tierschau im Programm.

Im Frühjahr 1933 zogen wir durch Belgien, im Frühsommer kehrten wir plötzlich wieder nach Deutschland zurück, das wir beide doch erst einige Monate vorher wegen der »unmittelbar bevorstehenden Bedrohung« hatten verlassen müssen. Aber der Zirkus Jakob Busch wie auch unsere Pflegeeltern waren brave Steuerzahler in Deutschland. Sie konnten selbstverständlich ohne jede Komplikation zurückkommen und wir mit ihnen. Nun lebten wir nicht mehr in Berlin, sondern wir zogen über Land von Ort zu Ort.

Der Zirkus reiste mit Eisenbahnzügen, die Pferde und Elefanten in geschlossenen Transportwagen, die Raubtiere in ihren Käfigwagen wie auch die Wohnwagen auf offenen Eisenbahnloren. Zum Ziehen der Wagen hatte der Zirkus Traktoren. Manchmal, wenn ein Wagen an einem Standplatz so tief im Dreck eingesunken war, dass man ihn auch mit dem Traktor nicht mehr herausbekam, wurde Jenny, die große indische Elefantenkuh, eingesetzt. Sie drückte mit dem Kopf von der einen Seite gegen den Wagen, während von der anderen Seite der Traktor zog. Wir Kinder bewunderten Jenny sehr. Sie war der friedlichste Elefant, dem ich je begegnet bin. Wenn die anderen Elefanten im Stall unruhig wurden, war sie es, die alle wieder beruhigte.

Die Wohnwagen wurden nach Familien zugeteilt. Ledige Frauen und ledige Männer belegten jeweils einen Wagen bzw. eine abgetrennte Wohnwagenhälfte. Ben Ahmeds Truppe hatte im Zirkus Jakob Busch einen großen Wohnwagen, der in der Mitte abgeteilt war, in einen Teil für Frauen und Mädchen und einen anderen für die Männer. Die Betten standen übereinander. Es stand nur ein Kleiderschrank für alle zur Verfügung. Es war sehr beengt in diesen

Wagen und diese Enge führte oft zu Streit. Die ben Ahmeds selbst hatten zwar einen ganzen Wagen für sich, mussten aber dafür auch die gesamte Zirkusgarderobe und die Requisiten für die Truppe unterbringen. Anfänglich schliefen Juliana und ich auch in diesem Wagen, aber es wurde doch zu eng und wir zogen zu den anderen, in den nach Geschlechtern getrennten Wagen.

Im Programm des Zirkus Jakob Busch gab es nach der Pause eine sogenannte Pantomime, bei der das gesamte Zirkuspersonal mitspielte. Es ging da um eine geraubte blonde Prinzessin, die in ein orientalisches Reich verschleppt wurde und von einem blonden Helden in Tropenuniform und Tropenhelm gerettet wurde. Es war eine der in den Zwanziger- und Dreißigerjahren beliebten Schnulzengeschichten. Heute würde man so etwas als »Soap« bezeichnen.

Der Zirkus hatte – wie andere große Zirkusse auch – zwei Zeltgarnituren. Fanden in dem einen Zelt noch Vorstellungen statt, wurde die andere Garnitur bereits am nächsten Ort in Stellung gebracht. Für die Aufstellung eines kompletten Vier-Masten-Zirkus brauchte man nur etwas mehr als einen halben Tag. Während das Zelt noch aufgebaut wurde, zogen Artisten und Tiere vom Verladebahnhof durch die Stadt. Dieser Umzug wurde »Parade« genannt und sollte die Bevölkerung anlocken. Trotz allgemeiner Arbeitslosigkeit kamen die Menschen in Scharen. Es gab ja damals für sie außer dem »Kintopp« wenig Abwechslung. Das Radio steckte noch in den Kinderschuhen und das Fernsehen war noch nicht erfunden. Wenn dann einmal im Jahr so ein großer Wanderzirkus in die Stadt kam, wollte man sich das nicht entgehen lassen.

Das allgemeine deutsche Schulpflichtgesetz galt auch für die Zirkuskinder, und so mussten wir bei unseren Aufenthalten in deutschen Städten und Orten dieser Schulpflicht nachkommen. Zu der Zeit gab es die Nürnberger Rassengesetze noch nicht. Sie wurden ja erst 1935 eingeführt. Zwischen »arisch« oder »nicht arisch« wurde im Hinblick auf die Schulpflicht noch kein Unterschied gemacht. Alle schulpflichtigen Kinder hatten in die Schule zu gehen.

Juliana und ich hatten jeweils ein kleines Büchlein, in dem der Schulbesuch einzutragen war. Welche Schule? Wo? Und von wann bis wann? Sowie Bemerkungen zum Besitzer des Büchleins. In jedem Ort wurde uns eine Schule genannt, wir gingen hin, wurden in eine Klasse gesteckt, nahmen am Unterricht teil und verließen die Schule nach ein paar Tagen wieder. Wir waren natürlich in jeder neuen Klasse eine Sensation. Gelernt haben wir dabei herzlich wenig. Mit den einheimischen Schülern ein wenig anfreunden konnten wir uns auch nur an den Orten, wo wir länger blieben. Aber gerade weil wir immer eine solche Sensation darstellten, habe ich diese Zeit durchaus genossen. Die Mitschüler beneideten uns und die Lehrer waren bei Hausaufgaben weitgehend nachsichtig.

Nach Ende der Sommersaison 1933 waren wir in einem festen Bau in Stuttgart. Von dort ging es in der Wintersaison 1933/34 quer durch Deutschland nach Warschau in den Winterzirkus Staniewski, wo der Zirkus Jakob Busch Quartier nahm. In der Winterzeit wohnten die Zirkusleute immer in festen Quartieren, entweder im Hotel oder zu Hause. Aber Juliana und ich hatten in dieser Zeit überhaupt kein Zuhause. Unser »Zuhause« war das Bett im Zirkuswagen und der Koffer mit den wenigen Habseligkeiten darunter.

Der Tod meines Vaters

1934 starb mein Vater im Alter von 55 Jahren. Doch unsere Familie war bereits vor seinem Tod völlig auseinandergebrochen und eine neue hatten wir nicht. Bei den ben Ahmeds waren wir nur untergebracht, auch wenn das Vormundschaftsgericht sie offiziell als Erziehungsberechtigte bestellt hatte. Sie sprachen oft von ihrer Wohnung in Berlin-Karlshorst. Wir kannten sie damals noch nicht. Doch auch als sich das später änderte, wurde aus dieser Wohnung nie eine Heimstatt, ein Zuhause, für uns.

Tante Martha und Onkel Mohamed führten ein strenges Regiment. Geschimpft und geschrien wurde eigentlich ständig. Für die Truppenmitglieder gab es bei kleineren Vergehen oder Versäumnissen, der Verspätung bei Auftritten, der Verschmutzung oder Beschädigung von Kostümen und Ähnlichem, Sanktionen in Form von Geldstrafen, die von der Gage abgezogen wurden. Juliana und ich bekamen keine Gage, von der etwas abgezogen werden konnte. Dafür bekamen wir Ohrfeigen und Prügel, sehr oft mit dem Teppichklopfer oder einem Ledergürtel. Anlass konnte ein Eimer für Trinkwasser sein, der noch nicht gefüllt, oder ein Eimer mit Schmutzwasser, der noch nicht geleert war, Aufgaben, die zu meinen täglichen Pflichten gehörten. Eine Katastrophe war es jedes Mal, wenn beim Spülen oder Abtrocknen Geschirr zerbrach. Wenn so etwas passierte, kam es mir immer vor, als würde gleich die Welt untergehen. Ich war ja noch ein Kind.

An die Wintersaison 1933/34 beim Zirkus Staniewski in Warschau schloss sich unmittelbar eine lange Sommersaison beim Zirkus Knie in der Schweiz an. Die Nachricht vom Tod meines Vaters erreichte uns erst dort, in Solothurn. Da der Zirkus sich in der Regel nur wenige Tage an einem Ort aufhielt, war sie uns zwei Monate lang nachgereist. Sie war eine Katastrophe für uns. Auch wenn er schon lange nicht mehr die Rolle des klassischen Familienvaters spielte, war er doch immer noch da gewesen, der letzte familiäre Fixpunkt, der uns Kinder miteinander verband. Der Umstand, dass er die Familie nicht hatte zusammenhalten können und seine Kinder in fremde Hände geben musste, hat sicher auch zur Verschlechterung seines Zustands beigetragen. Später wurde mir klar, dass sein früher Tod ihn vor den Auswirkungen des Nationalsozialismus bewahrt hatte. Sein Temperament, sein Jähzorn, seine Ungeduld, vor allem im Umgang mit den Behörden, aber auch sein Gerechtigkeitssinn hätten ihn zweifellos in bedrohliche Situationen gebracht. Er wäre bestimmt im KZ gelandet. Damals bedeutete sein Tod für mich einen weiteren Eintrag in der langen Liste von Verlusten an Liebe, Vertrauen und Geborgenheit.

Berlin-Karlshorst

Ich war nun neun Jahre alt. Immer noch las ich alles, was mir in die Finger kam, auch die Berichte und Meldungen über Deutschland, das sich nunmehr »neu« und »das Dritte Reich« nannte, in den Schweizer Zeitungen. In der Mehrzahl waren es kritische bis ablehnende Berichte. Vor allem über das Benehmen der Schlägertruppen der SA, die Andersdenkende terrorisierten. Ich hatte mir ein Bild von meiner Heimat Deutschland zurechtgelegt als einem Land des Schreckens und des Grauens. Als wir nach Beendigung der Sommertournee im Herbst 1934 nach Deutschland zurückkehrten, war der erste Eindruck aber ein ganz anderer. Es gab keine Straßenkämpfe mehr, keine endlosen Menschenschlangen vor den Arbeitsämtern. Ich war ganz überrascht: Äußerlich war es eine friedliche neue Heimat, die ich zunächst überhaupt nicht als feindselig empfand. Es herrschte Ruhe. Dass sie trügerisch war und in Wahrheit eine Friedhofsruhe, das stellte sich später heraus.

Ich wäre sehr gerne beim Zirkus Knie in der freundlichen Schweiz geblieben, wo ich unter den anderen Zirkuskindern viele Freunde gefunden hatte und wo es für mich keine Schulpflicht gab. Aber damit waren die ben Ahmeds nicht einverstanden. Sie erklärten uns, das Jugendamt wolle uns wohlbehalten zurück sehen und wir seien nicht in Gefahr. Es sei wunderbar im neuen Deutschland zu leben und alles würde gut werden.

In der Tat, Berlin erschien mir völlig verändert. Das lag vor allem daran, dass wir nicht mehr am Prenzlauer Berg wohnten, sondern im vornehmeren ruhigen Karlshorst, weit im Südosten Berlins. Dort war neues Baugelände erschlossen worden. Die Grundstücke waren recht preiswert zu erwerben. Die ben Ahmeds hatten zugegriffen und sich in den Jahren 1931/32 eine mehrstöckige Villa mit drei Wohnungen gebaut.

In der Parterrewohnung lebte Erich Walzer mit seiner Frau Käthe, ein Bruder von Tante Martha, der bei der Reichsbank arbeitete und im Ersten Weltkrieg schwer verwundet worden war. Am Anfang wohnte auch noch ihre Tochter dort, bis sie heiratete und auszog. Die mittlere Wohnung hatten die ben Ahmeds selber bezogen. In der oberen, der Dachwohnung, wohnte eine Schwester von Tante Martha mit ihrem Mann, der Beamter im mittleren Dienst bei der Reichsbahn war. Sie hatten einen Sohn, der wie sein Vater bei der Bahn arbeitete und durch seine Mitgliedschaft in der NSDAP schnell in die gehobene Laufbahn aufgestiegen war. Beide, Vater und Sohn, glaubten fest an den Führer und den Nationalsozialismus. Sie waren die einzigen erklärten Nationalsozialisten in dieser Familie. An Juliana und mir haben sie das nicht ausgelassen. Wir haben nie ein böses Wort von ihnen zu hören bekommen.

Insgesamt unterschied sich die politische Stimmung in diesem Hause nicht von jener in der Bevölkerung der Jahre 1934/35 allgemein. Einerseits schien mit Adolf Hitler endlich der Mann gekommen zu sein, der »Deutschland wieder dem ihm zustehenden Platz in der Welt« zurückgeben würde. Andererseits war alles, was mit diesem »Dritten Reich« zusammenhing, nicht fassbar und auch irgendwie unheimlich. Adolf Hitler hatte vor Amtsantritt sehr große Versprechungen gemacht. Der verlorene Erste Weltkrieg und die Bestimmungen des Versailler Vertrages – die allgemein als Schmach und Erniedrigung empfunden wurden – hatten tiefe Wunden in das Bewusstsein der Deutschen geschlagen. Aber der Enthusiasmus über das »neue Reich« wurde auch von einer unbestimmten, nicht genau fassbaren Angst vor der Zukunft begleitet.

Wenn ich gekonnt hätte, wie ich wollte, dann wäre ich sofort nach unserer Rückkehr zu Mutter Clara in die Saarbrückerstraße geeilt. Aber das wurde mir strengstens untersagt. Mir blieb nichts anderes übrig, als mich zu fügen. Ich hätte ja nicht einmal gewusst, wie ich mit öffentlichen Verkehrsmitteln dorthin kam, ganz zu schweigen vom notwendigen Fahrgeld. Zudem erklärte man mir, nach so langer Trennung sei ich dort nicht mehr willkommen.

Ziemlich rasch machte Tante Martha klar, dass sie uns arme Waisen nur aus Gnade und Barmherzigkeit bei sich aufgenommen hatten, damit wir nicht ins Waisenhaus müssten. Tagaus, tagein bekamen wir zu hören, wie unendlich dankbar wir für diese Barmherzigkeit sein müssten. Die ben Ahmeds fütterten uns, die wir doch Fremde waren, auf Kosten ihrer eigenen Kinder durch.

De facto behandelten sie uns wie Dienstpersonal oder vielmehr noch schlechter. Angestelltes Personal hätte einen Lohn erhalten und hätte sich aber dennoch bei einer solchen Behandlung ganz schnell wieder davongemacht. Sie äußerten ganz unverblümt, in Anbetracht unserer afrikanischen Abstammung seien wir ohnehin zu nichts anderem als zum Dienen bestimmt. Die Jahre waren ein einziger, nicht enden wollender Albtraum. Arbeit im Haus und Garten bestimmten meinen Tagesablauf, Sanktionen in Form von Prügel oder Essensentzug auch für kleinste Versäumnisse oder Vergehen waren an der Tagesordnung.

An Juliana und mir wurde in erster Linie gespart. Als Schulbrote gab es drei Zentimeter dicke Brotscheiben, meistens mit Quark und, wenn es hochkam, mit einer Scheibe Fleischwurst belegt. Natürlich gab es für uns nur Magermilch. Während die Familie im Winter im Wohnzimmer beim Abendessen saß, verzehrten Juliana und ich im Dunkeln (Strom musste ja gespart werden, elektrisches Licht war teuer!) in der Küche unsere kärglichen »Mohamed-Stullen«. Später in meiner eigenen Familie wurde das zum geflügelten Wort für zu dick geratene Brotscheiben. Manchmal bekamen wir eine Kerze hingestellt. Schularbeiten waren grundsätzlich bei Tageslicht zu machen. Waren die Schularbeiten wegen der vielen Aufgaben im Haus am Abend noch nicht erledigt, holte ich das morgens in der Schule nach. Tante Martha kontrollierte meine Schularbeiten nie. Ich kann mich nicht erinnern, dass sie jemals ein Schulheft von mir in die Hand genommen hätte.

Im Herbst 1934 war ich in Karlshorst in die vierte Klasse der Volksschule eingeschult worden und wurde – wie auch während der Zirkustourneen – in der Klasse gut aufgenommen. Es war eine gemischte Klasse aus Jungen und Mädchen. Es gab keine Schulspeisung mehr, obgleich es noch immer Kinder gab, deren Väter arbeitslos waren. Nachdem ich ein paar Tage in der neuen Klasse war, hatten wir ein Diktat zu schreiben. Die Lehrerin fing an zu diktieren und ich wusste nicht mehr, wie die einzelnen Buchstaben geschrieben wurden. Seit ich mit den ben Ahmeds unterwegs war, hatte ich nur sporadisch die Schule besucht und während des langen Aufenthaltes in der Schweiz gar nicht mehr, da es dort für uns keine Schulpflicht gab. Ich hatte tatsächlich das Schreiben verlernt. Ich konnte zwar noch gedruckte Schrift in Büchern und Zeitschriften lesen, Buchstaben aber nicht mehr in eigene Schriftzüge umsetzen.

Die Lehrer waren entsetzt. Schließlich wurde in der vierten Klasse der Volksschule darüber entschieden, wer auf eine weiterführende Schule gehen durfte. Ich wurde eine Klasse zurückgestuft und fing noch einmal von vorne an, Buchstaben schreiben zu lernen. In den ersten beiden Schuljahren hatte ich Sütterlinschrift gelernt. Zum Glück war dies auch noch in der dritten Klasse dieser Schule gebräuchlich, obgleich die preußische Schulverwaltung dabei war, die lateinische Schrift wieder einzuführen. Glücklicherweise fand ich schnell wieder zurück in den Gebrauch von Buchstaben und bekam Anschluss an das allgemeine Niveau.

Von der Warmbaderstraße, wo wir wohnten, bis zur Schule in der Treskow-Allee, war es etwa ein Kilometer, den ich mindestens zweimal am Tag zu gehen hatte. In unmittelbarer Nähe der Schule befand sich – auf der gleichen Straßenseite – ein Stammlokal der SA, mit Vorhängen vor den Fenstern, das immer verschlossen war. Schon das allein war mir unheimlich. Außerdem hatte ich damals in der Schweiz gelesen, dass aus diesen Lokalen ganz plötzlich SA-Männer herausspringen und Passanten verprügeln. Zu dem Zeitpunkt war die SA nach dem sogenannten Röhmputsch im Sommer 1934 schon entmachtet. Aber das wusste ich nicht. Also wechselte ich auf meinem Schulweg die Straßenseite, damit ich nicht an dem SA-Lokal vorbeigehen musste, und kehrte erst danach wieder auf »meine« Straßenseite zurück. Ein Schulkamerad, der den gleichen Weg wie ich hatte, machte dies ein paar Mal mit, dann aber fragte er mich nach dem Grund für mein seltsames Verhalten und ich erzählte es ihm. Er war erst ganz erstaunt und brach dann in Gelächter aus. Am nächsten Tag bestand er darauf, an dem SA-Lokal vorbeizugehen. Ich sollte einsehen, dass mein Verhalten unsinnig sei. Nur zögernd folgte ich ihm. Nichts passierte, auch am nächsten Tag und an den folgenden Tagen nicht. Von da an ging ich nie wieder den früheren Umweg.

Unterwegs auf dem Schulweg standen zwei Schaukästen mit den

Zeitungen ›Völkischer Beobachter‹ und ›Der Stürmer‹, die ich begierig las. Viel verstand ich nicht, aber ich hatte ein starkes Lesebedürfnis und sonst nicht viel Lesestoff zur Verfügung. Wenn dort, vor allem im ›Stürmer‹, die Juden geschmäht wurden, so berührte mich das alles vorerst überhaupt nicht. Ich hatte jüdische Schulkameraden in der Klasse und die verhielten sich so wie alle anderen. Dass sie Juden waren, merkte man immer erst, wenn sie bei den Schülererhebungen gesondert gezählt wurden, wie ich übrigens auch. Das besagte aber noch nichts und änderte nichts an der Atmosphäre in der Schulklasse. In diesen Zeitungen wurde viel von »Rassefremden« geschrieben. Es wurde mir nicht klar, zumindest noch nicht, dass auch ich selber damit gemeint war. Es war alles so abstrakt und schien mich überhaupt nicht zu betreffen.

Nicht erwünscht

Bei uns Kindern herrschte große Begeisterung für die neue Jugendbewegung, die sich »Hitlerjugend« nannte. Dieser Organisation konnte man erst mit 14 Jahren beitreten, aber Kinder ab zehn Jahren wurden aufgefordert, sich dem »Jungvolk« der HJ anzuschließen. Meine Schulkameraden traten fast geschlossen diesem Jungvolk bei und schwärmten von der Kameradschaft, die dort herrschte, von den Spielen, die sie dort »spielten«. Natürlich drängten sie mich mitzukommen und natürlich stimmte ich zu und wir gingen gemeinsam zum nächsten Treffen des »Fähnleins«. Und genauso natürlich wurde ich wieder fortgeschickt. Zuvor wurde mir aber noch klargemacht, dass ich nicht unter den Begriff »Volk« fiel und deshalb auch nicht zum »Jungvolk« gehören könne.

Von diesem Zeitpunkt an war die Situation in der Schule verändert. Sie war noch nicht vergiftet, aber ich wurde von meinen Schulkameraden anders angesehen als vorher und ich selbst sah sie auch mit anderen Augen. Nur im Sport, da machte ich allen noch etwas vor. Vor allem in den Laufdisziplinen kam keiner an die Zeiten heran, die ich lief. Bei den Sportveranstaltungen der Schulen untereinander war ich auf den kurzen Strecken immer schneller als alle anderen. Die Schüler der anderen Schulen sagten immer neidisch: »Wenn ihr euren Jesse Owens mitbringt, haben wir keine Chance.« Einmal hörte ich, wie zwei Lehrer über mich sprachen und der eine sagte: »Eine große Hoffnung für die Olympischen Spiele 1944, aber leider ...«. Mehr sagte er nicht. Der schwarze amerikanische Leichtathlet Owens hatte bereits 1935 fünf neue Weltrekorde aufgestellt und war der Star bei den Olympischen Spielen 1936 in Berlin. Ich hatte das Glück, dass ich mit der Schulklasse ins Stadion durfte, um ihn laufen zu sehen. Er wurde zu meinem Idol und ich wollte so werden wie er. Es gab aber bekanntermaßen 1944 wie auch schon 1940 keine Olympischen Spiele und mein Lauftalent hatte sich binnen weniger Jahre verflüchtigt.

Meine Schreibschwäche war nach kurzer Zeit verschwunden. Der Rektor der Schule und auch der Klassenlehrer drängten darauf, dass ich auf eine höhere Schule gehen sollte. Sie taten auch alles, um meine Pflegeeltern zu überzeugen. Die ben Ahmeds waren gar nicht begeistert von dieser Idee, stimmten letztlich aber doch zu. So wechselte ich auf das Kant-Gymnasium in Karlshorst. Damals musste für den Besuch höherer Schulen Schulgeld bezahlt werden, wovon Schüler in Ausnahmefällen aber befreit werden konnten. So auch in meinem Fall. Ich war ja Vollwaise und das Jugendamt übernahm das Schulgeld.

Die Bewältigung des Lehrstoffs machte mir keine Probleme. Mit meinen Pflegeeltern war es schon schwieriger. Die Hausaufgaben benötigten viel mehr Zeit als in der Volksschule. Das ging zu Lasten der Arbeiten im Haushalt und im Garten. Und noch etwas war völlig anders als in der Volksschule. Das war die Atmosphäre im Gymnasium. Meine Klasse bestand aus wohlgenährten, gut gekleideten Schülern, die mit Stolz ihr Statussymbol trugen, die teure Pennälermütze aus buntem Samt. Ich hingegen war ein ärmlich gekleideter, vom Körperwuchs zurückgebliebener, verschüchterter und noch dazu fremd aussehender kleiner Junge, der keine Pennälermütze trug. Wer hätte mir auch eine kaufen sollen? Mein Scheitern war vorprogrammiert.

Und das, obwohl mir die Lehrer trotz teilweise sichtbarer Zugehörigkeit zur NSDAP in der Mehrzahl eher wohlgesonnen waren, vor allem im Sport. Doch eines Tages passte mich der Direktor auf dem Weg ins Klassenzimmer ab, bat mich in sein Büro und eröffnete mir, dass er – leider – durch neue Verordnungen gezwungen sei, mich aus dem Gymnasium zu entlassen. Das habe nichts mit meinen schulischen Leistungen zu tun, die seien in Ordnung, sondern eben mit der neuen Zeit. Ich machte kehrt und ging nach Hause, tief betroffen und ohne noch einmal in meine Klasse zurückzukehren. Die ben Ahmeds waren über diese Wendung alles andere als unglücklich. Ihnen hatte mein kindliches Streben nach »Höherem« ja von Anfang an nicht behagt. Und meine kostbare Arbeitszeit war durch längeren Unterricht und mehr Hausaufgaben blockiert worden, wo ich mich doch besser im Haus und im Garten nützlich machte. Außerdem war da ja noch die Völkerschau, wofür meine afrikanische Erscheinung benötigt wurde.

Allerdings ließ die Popularität von Völkerschauen im »neuen Deutschland« inzwischen nach. Onkel Mohamed bekam kaum noch Engagements im Inland. Wir mussten daher ins Ausland, u. a. in die baltischen und skandinavischen Länder, ausweichen. Im Mai 1933 waren die freien Gewerkschaften aufgelöst worden. Ihr Vermögen wurde enteignet, das Streikrecht wurde abgeschafft. Als nationalsozialistische Einheitsgewerkschaft wurde die Deutsche Arbeitsfront (DAF) gegründet, in die sämtliche Arbeitnehmer- und Arbeitgeberverbände zwangsintegriert wurden.

Die DAF begann etwa 1937 mit dem Aufbau einer eigenen Völkerschau, der »Deutschen Afrika-Schau«. Sie wollte damit alle in Deutschland lebenden Afrikaner und deren »Abkömmlinge« zusammenfassen. Viele waren inzwischen von der öffentlichen Hand abhängig. Hier bekamen sie die Möglichkeit, sich wieder selbst den Lebensunterhalt zu verdienen. Das wurde vor allem vom Kolonialpolitischen Amt des Auswärtigen Amtes und den alten Kolonialkreisen wie dem Reichs-Kolonialbund befürwortet.

Der Haupteffekt war aber die totale Kontrolle und die Möglichkeit, Sanktionen gegen Einzelne oder die ganze Gruppe durchzuführen. Ich war in der »Deutschen Afrika-Schau« nie tätig. Sie wurde Anfang 1940 wieder eingestellt, auf Betreiben einiger NS-Gauleiter und gegen den erklärten Willen von Martin Bormann, dem Chef der Parteizentrale. Über diesen Vorgang gibt es einen Schriftverkehr in den Akten der Zentrale der NSDAP.

Als »Äthiopier« in Schweden

Äthiopien, damals Abessinien genannt, war in den Dreißigerjahren noch eines von zwei Ländern auf dem afrikanischen Kontinent, das nicht unter der Herrschaft einer europäischen Kolonialmacht stand. Das faschistische Italien überfiel das Land 1935. Es war nicht der erste italienische Versuch, die Kontrolle über Äthiopien zu gewinnen. 1896 bei der Schlacht von Adua hatten die Italiener allerdings eine vernichtende Niederlage gegen die Armee des äthiopischen Kaisers erlitten. Für diese Niederlage wollten sie sich rächen. Der »Abessinien-Krieg« veränderte die politische Landschaft in Europa. Bis dahin war das Dritte Reich noch weitgehend politisch isoliert. Nun nützten die Nationalsozialisten die Gelegenheit, sich wieder als potenzielle Kolonialmacht bemerkbar zu machen, indem sie als Einzige Italien im Krieg gegen Äthiopien unterstützten. Entsprechend groß war in Deutschland der Bekanntheitsgrad des damaligen äthiopischen Kaisers Haile Selassi, der den Titel Negus Negesti, König der Könige, führte. Mir hatten die Kinder immer mal »Neger, Neger« hinterhergerufen. Nun riefen sie »Negus, Negus«. Daraus wurde aber im Berliner Dialekt »Nejus, Nejus«. Es war als Schmähung gedacht, und so habe ich es auch empfunden. Dagegen wehren konnte ich mich nicht.

In den skandinavischen Ländern hingegen waren die Sympathien eindeutig auf äthiopischer Seite, und so wurden wir in den Völkerschauen als Äthiopier »verkauft«. Dabei gab es nur einen einzigen echten Äthiopier in der Truppe, Wolde Tadek, der Juliana und mich damals nach Lüttich begleitet hatte. Es gab mehrere schwedische Familien, die Juliana und mich gerne aufgenommen hätten. Aber die ben Ahmeds befürchteten nach der Rückkehr nach Deutschland Schwierigkeiten mit den Vormundschaftsbehörden. Außerdem konnten sie immer noch von unserer Arbeit profitieren und gutes Geld mit uns verdienen.

Dass sie tatsächlich Probleme bekommen hätten, stellte sich nach unserer Rückkehr aus Schweden im Herbst 1937 heraus. Meine älteste Schwester Christiane, die seit 1933 in Frankreich lebte, hatte bei unserer Vormundschaftsbehörde einen Antrag auf Ausreisegenehmigung für Juliana und mich, ihre jüngeren Geschwister, gestellt. Christiane war inzwischen volljährig und als Älteste der Familie gesetzlich auch dazu berechtigt.

Die Beamten der Vormundschaftsbehörde, die ja teilweise noch seit der Weimarer Republik oder sogar seit dem Kaiserreich im Staatsdienst waren, hielten sich an die Vorschriften und Bestimmungen. Ich gehe davon aus, dass sie aus unterschiedlichen Gründen, auch, um uns zu schützen, dem Antrag Christianes am liebsten sofort entsprochen hätten. Unsere Betreuer im Jugendamt wären auf jeden Fall froh gewesen, uns beide außer Landes zu wissen. Doch es gab da einen Haken. Nach dem Papier waren wir »deutsche Vollwaisen«. Deutsche Mündel der Vormundschaftsbehörden, die jünger als 16 Jahre waren, durften nach dem Gesetz aber nur dann ausreisen, wenn ihre zukünftige soziale Situation für das Vormundschaftsgericht klar erkennbar gesichert war.

Juliana hatte zu diesem Zeitpunkt das 16. Lebensjahr bereits vollendet. Die Mindestvoraussetzung erfüllte sie also. Auf mich traf das nicht zu, denn ich war erst zwölf. Christiane wiederum mit ihren 22 Jahren und als älteste Schwester war zwar antragsberechtigt, aber sie war nach Ansicht der Behörde nicht in der Lage, mit ihrer Arbeit im Zirkus noch zwei jüngere Geschwister zu ernähren. Und so wurde der Ausreiseantrag für uns beide aus formalen Gründen erst einmal abgewiesen. In anderen Zeiten und unter anderen Umständen wäre das schon wegen der Fürsorgepflicht auch völlig richtig gewesen. In meinem Fall war es eine Entscheidung, die fatale Folgen hatte.

Die Bedenken gegen Julianas Ausreise konnten schließlich ausgeräumt werden. Sie bekam die Zustimmung der Behörden. Erstaunlicherweise widersetzten sich die ben Ahmeds diesem Unterfangen nicht, sondern unterstützten es sogar. Juliana war zunehmend rebellischer geworden, auch durch die Pubertät, und sie war ja nun fast schon erwachsen. Es war abzusehen, dass sie unsere Lebensumstände nicht mehr lange akzeptiert hätte.

Damit war für Juliana die erste Hürde genommen. Sie brauchte noch einen Reisepass, denn der Kinderausweis war nicht mehr gültig. Auf Antrag – bekanntlich läuft in Deutschland nichts ohne Antrag – wurde ihr ein grauer Fremdenpass mit der Eintragung »staatenlos« ausgehändigt. Wir waren »deutsche Vollwaisen« gewesen, dem deutschen Vormundschaftsgericht unterstellt. Wir hatten als »Deutsche« gegolten und uns als Deutsche verstanden. Unser Vater hatte noch einen deutschen Reisepass mit der Eintragung »Schutzgebiet Kamerun« gehabt, der allerdings nach seinem Tod verloren gegangen war. Mit diesem Fremdenpass bekamen wir nun zum ersten Mal offiziell mitgeteilt, dass wir keine deutschen Staatsangehörigen mehr waren.

Im Jahr 1935 hatte das Reichsbürgergesetz das Reichsstaatsangehörigkeitsgesetz (RuSTAG) von 1913 ersetzt. In Paragraf 1 dieses neuen Gesetzes stand, dass nur Personen mit »deutschem oder artverwandtem Blut« Bürger des Deutschen Reiches sein konnten. Die deutschen Juden wurden zu »deutschen Staats-Angehörigen«, und damit zu Nicht-Bürgern. Bei den ehemaligen Kolonialangehörigen des Reiches war es noch einfacher: Da das Dritte Reich als Erbe der Weimarer Republik keine Kolonien besaß und sie auch nie besessen hatte, selbst wenn der Anspruch immer aufrechterhalten wurde, bestanden gegenüber den ehemaligen Schutzgebietsangehörigen und ihren Kindern staatsrechtlich keine Verpflichtungen mehr. Sie wurden ganz einfach als staatenlos erklärt. Man entzog ihnen ihre bisherigen Pässe, soweit sie solche überhaupt besaßen. Von all dem hatten wir Kinder natürlich keine Ahnung gehabt.

Mit dem neuen Pass, der sie als »staatenlos« auswies, musste Juliane auf das französische Generalkonsulat in Berlin und bekam mit großer Mühe noch ein Visum für vier Wochen als Artistin während der Weltausstellung in Paris, die von Mai bis November 1937 stattfand. Dann wurde von deutscher Seite – wieder auf Antrag – ein »Sichtvermerk« (Ausreisevisum) »nach sorgfältiger Prüfung« erstellt. Die Fahrkarte nach Paris hatte mein Bruder James bezahlt. Juliana wurde noch einmal vom Jugendamt eingekleidet und reiste ab. Bei ihrer Ankunft in Gare de l'Est in Paris nahm Christiane sie in Empfang und das Erste, was sie tat, war – gegen Julianas erbitterten Widerstand –, den Reisepass zu verbrennen, damit sie nach Ablauf des Visums von den französischen Behörden nicht nach Deutschland zurückgeschickt werden konnte.

Der sogenannte Fremdenpass hieß auch Nansen-Pass. Er war 1922 eingeführt worden und nach dem verantwortlichen Hochkommissar des Völkerbundes benannt. Nach den komplizierten internationalen Bestimmungen musste das Ausstellerland eines solchen Fremdenpasses den Inhaber des Passes auch wieder einreisen lassen. Es bedeutete aber auch, dass der Inhaber eines solchen Passes in dieses Land abgeschoben werden konnte. Und genau das wollte Christiane verhindern.

Auf Knien dankbar

Als Juliana abgereist war, blieb ich auf dem Bahnhof zurück, unfähig, dem Zug nachzuwinken. Ich begriff, dass ich jetzt völlig allein in dieser immer feindlicher werdenden Umwelt war. Es war warm, aber mir wurde sehr kalt und ich weinte, wie schon lange nicht mehr. Ich war so einsam und hatte solche Angst vor der Zukunft, auch wenn ich mir das tatsächliche Ausmaß dessen, was mich erwartete, natürlich noch nicht vorstellen konnte. Juliana sah ich erst nach 13, meinen Bruder James nach 16 Jahren wieder. Christiane sah ich überhaupt nie mehr. Sie starb auf der Flucht von Paris nach

Südfrankreich und hinterließ zwei kleine Töchter. Das habe ich im Jahr 1942 von meinen Tanten in Berlin erfahren.

Nachdem Juliana weg war, musste ich viele ihrer Aufgaben im Haushalt und Garten übernehmen. Außerhalb der Schule hatte ich praktisch keine Freizeit mehr. Zum Lesen kam ich kaum noch und spielen konnte ich nur, wenn Günther oder Herbert dies wollten und Tante Martha es gnädig bewilligte. Ab Herbst 1937 gab es erst mal keine Völkerschau-Engagements mehr. Onkel Mohamed legte sich Tauben, Hühner und Kaninchen zu. Die Hühner und die Tauben versorgte er selbst. Meine Aufgabe wurde es, vom Frühjahr bis in den Herbst hinein frisches Grünfutter für die Kaninchen zu besorgen. Wenn ich aus der Schule kam, zog ich mit zwei großen Einkaufsnetzen los, um an Wegen, im Wald, auf Wiesen und an Straßen- und Ackerrändern Gras zu rupfen. Und dies jeden Tag. Was die Tiere nicht gleich auffraßen, wurde für die Winterzeit als eine Art Heu getrocknet.

Außerdem mussten mindestens einmal in der Woche die Teppiche geklopft werden, dann waren da die Treppe im Haus zu putzen und der Kokosmattenbelag zu reinigen sowie dessen Messingringe und die Beschläge am Briefkasten und Gartentor zu polieren. Dies war, besonders im Winter, wenn es fror, eine grauenvolle Arbeit. Das Putzmittel, es hieß »Sidol«, gefror ebenfalls und war nur mit Mühe zu gebrauchen. Sodann waren im Winter täglich in Eimern Kohlen aus dem Keller zu holen für mehrere Kachelöfen und den Herd in der Küche, und Kleinholz musste gehackt werden. Natürlich war im Sommer zwischen den Gemüsebeeten auch Unkraut zu rupfen, das ebenfalls die Kaninchen bekamen. Abends mussten die Gemüsebeete gegossen werden. Sie wurden nicht etwa mit dem Schlauch besprengt, oh nein. Der Wasseranschluss lief ja über die Wasseruhr, und das kostete schließlich Geld. Das Wasser musste mit der garteneigenen Pumpe hochgepumpt und mit Eimern und Gießkannen zu den Beeten geschleppt werden. Abends fiel ich erschöpft in mein ausziehbares Bett, das im Sommer im Wintergarten und im Winter in der Küche stand.

Wie die meisten Artisten hatten die ben Ahmeds keine Sozialversicherung. Sie mussten, wenn sie keine Engagements hatten, vom

Ersparten leben. Soweit ich mich erinnere, hatten sie über Monate hinweg keine laufenden Einkünfte, außer denen, die Onkel Mohamed für sich und mich für die Komparserie beim Film erhielt. Und das war nicht übermäßig viel. Es wurde an allen Ecken und Enden gespart. An Wasser, Strom und Heizung und in erster Linie auch an mir.

Fast täglich musste ich einkaufen gehen. Von Tante Martha bekam ich genau aufgeschrieben, was ich zu kaufen hatte. Das Einkaufen war mir besonders verhasst. Wenn ein Artikel nicht vorhanden war und die Kaufleute mir einen anderen, ähnlichen mitgaben, wurde ich zurückgeschickt und musste das Geld wieder mitbringen. Brachte ich aber, weil dieser Artikel nicht vorhanden war, nichts mit, war es fast noch schlimmer. Ich wurde geschimpft, weil Tante Martha auch den Ersatz genommen hätte, denn sie brauchte ihn jetzt gerade. Also noch einmal zurück und den Ersatz kaufen. Für alles hatte ich eine Quittung mitzubringen und es wurde auf den Pfennig genau abgerechnet. Wehe, es fehlte auch nur einer. Ich machte, solange ich bei Tante Martha und Onkel Mohamed lebte, nie etwas richtig.

Das Jugendamt zahlte nach wie vor 28 Reichsmark Waisengeld im Monat für mich. Tante Martha tat aber so, als müssten sie mich auf eigene Kosten durchbringen, und machte mir gezielt ein schlechtes Gewissen. Einmal sagte sie mir im Zorn, ich müsste ihnen auf Knien dankbar sein, dass sie mich bei sich aufgenommen hätten. Ich wäre sonst auf der Straße gelandet oder im Waisenhaus, wenn sie mich dort aufgrund meiner Abstammung überhaupt genommen hätten. Das stimmte überhaupt nicht, aber solche Worte, die mich schon als Kind gekränkt hatten, trafen mich nun als Heranwachsenden besonders hart.

Ich begann zu stottern. Ganz plötzlich blieben mir die Worte im Hals stecken. Ich öffnete den Mund, bemühte mich, Wörter, die mit bestimmten Buchstaben – einem H oder M – anfingen, auszusprechen, und es gelang mir nicht. Deshalb sprach ich immer weniger. Die Menschen, mit denen ich zu tun hatte, hielten mich manchmal für geistig behindert. Ich war völlig verunsichert und todtraurig. Oft wünschte ich, ich wäre tot. Es gab sogar Selbstmordgedanken.

Ich zog mich immer mehr in mich zurück. Schließlich begann mein Körper zu reagieren. Ich bekam unerträgliche Kopfschmerzen. Die Ärzte fanden nichts. Tante Martha beschuldigte mich, zu simulieren, und es gab weitere Beschimpfungen und Prügel. Ich war kleiner als meine Altersgenossen in der Schule, aber ich blieb nicht nur im Wachstum zurück.

Der Herr ist mein Hirte

Ostern 1939 wurde ich nach einem Jahr Konfirmandenunterricht in der evangelischen Kirche von Berlin-Karlshorst konfirmiert. Vorher machten die Konfirmanden im Zuge der Vorbereitungen eine Fahrt in die Lutherstadt Wittenberg. Für die Kosten musste jeder Schüler zwei Reichsmark mitbringen, die ärmeren eine. Ich sollte wenigstens 50 Pfennige mitbringen, aber auch die hatte ich nicht, denn ich bekam ja von den ben Ahmeds kein Taschengeld, abgesehen von einer Mark einmal zu Weihnachten. Ich wagte nicht zu fragen. Kurz zuvor hatte ich während eines Einkaufs auf der Straße fünfzig Pfennige verloren und mich kaum nach Hause getraut. Es hatte eine kräftige Tracht Prügel gegeben. Pfarrer Völkel nahm mich dennoch mit und ich bin ihm – bis heute – die 50 Pfennige schuldig geblieben.

Pfarrer Völkel war ein großer kräftiger Mann und hatte eine gewaltige Stimme. So stellte ich mir damals auch Martin Luther vor. Wir Konfirmanden fürchteten uns alle vor ihm, niemand hätte es im Unterricht gewagt, lästige Fragen zu stellen oder gar aufzumucken. Einmal sagte er eher beiläufig, dass der Konfirmandenunterricht das nächste Mal ausfallen müsse, weil er zu einem Gespräch in die Prinz-Albrecht-Straße bestellt sei. Ein Jahr später wurde ich selbst dorthin bestellt, aber damals wusste ich nicht, was das zu bedeuten hatte. Er ermahnte uns, brav zu bleiben, auch wenn ein anderer Pfarrer den Unterricht weiterführen sollte. Wir Halbwüchsigen verstanden nicht, weshalb er uns das überhaupt mitteilte. Auch nicht, wozu die Konfirmation gut sein sollte. Der Konfirmandenunterricht wurde hingenommen wie ein notwendiges Übel und tatsächlich wurden damals mehr Jugendliche aus der Kirche hinaus konfirmiert als in sie hinein.

Die Kleiderfrage wurde für mich insofern ein Problem, weil natürlich kein Geld für einen Konfirmationsanzug vorhanden war. Also rückte das Jugendamt einen Berechtigungsschein für einen kompletten Konfirmationsanzug sowie Hemd und schwarze Krawatte heraus. Mit Mühe fand der Verkäufer die kleinste Größe der langen Hosen, und die hing noch immer unter den Achseln und musste durch Hosenträger gehalten werden. Dafür kam aber das Jugendamt nicht auf, die ben Ahmeds mussten sie für mich kaufen. Nicht ohne mir vorher eine Standpauke zu halten, was ich für Kosten verursachte. Meine alten Schnürstiefel waren schon wieder zu klein geworden und drückten entsetzlich, also wurde auch ein neues Paar Schuhe vom Jugendamt bewilligt.

In einer der letzten Unterrichtsstunden sagte Pfarrer Völkel, er habe ein Schreiben von der Parteiführung erhalten, in dem er angehalten werde, auch die Konfirmanden in HJ- und BDM-Uniformen zu konfirmieren. Begrüßen würde er dies aber nicht. Tatsächlich erschienen zur Konfirmation auch nur zwei, ein Junge und ein Mädchen, in Uniform. Alle anderen trugen traditionelle schwarze oder blaue Konfirmationskleidung. Die Mädchen auch entsprechende Strümpfe.

Mein Konfirmationsspruch lautete: »Der Herr ist mein Hirte, mir wird nicht mangeln.« Ich hatte mir diesen Spruch nicht ausgesucht, hätte ihn auch nie gewählt. Er wurde mir von Pfarrer Völkel zugewiesen und ich konnte nichts damit anfangen. Mangelte es mir doch an allem, an Liebe, Zuneigung, Sympathie, Kleidung, Essen, an jeglicher Art von Unterstützung. Später, als ich den ganzen Psalm 23 las, mochte ich ihn noch weniger. Ich wollte keinen »gedeckten Tisch im Angesicht meiner Feinde« haben, ich wollte nur selber satt werden. Erst viel, viel später habe ich begriffen, dass der 23. Psalm eine Zusicherung der Bewahrung ist. Banal gesagt: »Wer zuletzt lacht, lacht am besten.« Ein halbes Jahr später gab es

Krieg. Die Kirche sah mich den ganzen Krieg über nicht wieder, dafür lernte ich aber zu beten.

Irgendwann beginnt wohl jeder sich zu fragen, wer er ist, woher er kommt und wohin er geht. Aber auch, welchen Platz er in seiner Welt einnimmt. Eine Frage, die mich relativ früh beschäftigte. Wer bin ich? Meine Umgebung konnte mir diese Frage nicht objektiv beantworten, nur je nach Standpunkt subjektiv. Vielleicht hätte Juliana sie mir beantwortet. Aber die war ja nach Paris geflüchtet. War sie dadurch zur Französin geworden und jemand anderer? Schließlich hieß es ständig, dass Frankreich unser Erbfeind sei. In der Schule hatte ich im ersten Schuljahr gesagt bekommen, Deutsch sei meine Muttersprache und ich müsse es beherrschen. Doch beim »Jungvolk« war ich nicht willkommen gewesen und das Gymnasium hatte ich wegen meiner Herkunft verlassen müssen.

Mein Vater hatte immer von Kamerun als »Vaterland« gesprochen. Aber Kamerun war für mich ein abstrakter Begriff. Stand Kamerun für die Märchen von den sprechenden Tieren, den Geistern und wandernden Bäumen, die er uns abends vor dem Schlafengehen erzählt hatte? Oder für die »Landsleute«, denen wir Kinder eher distanziert begegneten, deren Sprache Vater aber sprach und die so oft in unserer Küche saßen und Rat, praktische Hilfe und Geld von ihm erwarteten? Ich jedenfalls kannte nur eine Sprache und die war deutsch, meine Umgebung war deutsch, ich war in Deutschland geboren und aufgewachsen, ich war innerlich wie die anderen, also »deutsch«. Aber auch das stimmte offenbar nicht wirklich.

Ein Teil meiner Umgebung wollte mir immer wieder klarmachen, dass ich alles andere als »deutsch« sei, dass ich eigentlich gar nicht hierher gehörte. Sondern natürlich nach Afrika. Ich sei eben anders, so sagten sie. Wenn von »wir« oder »uns« die Rede war, dann war ich nicht gemeint. Und wenn ich in den Spiegel schaute, stellte ich fest, es stimmte ja, ich sah völlig anders aus als die Menschen in meiner Umgebung. Aber war ich deshalb auch anders? Fühlte ich anders? War ich etwa ein Kameruner? Aber dieses Land und seine Menschen kannte ich ja gar nicht. Ich sprach die Sprache nicht. Vielleicht war ich doch ein Deutscher, einer mit Baströckchen statt Hose.

Ich schwankte zwischen Ablehnung, Zweifel, Selbsthass und dem Stolz darauf, anders zu sein als die anderen, mit denen ich es zu tun hatte. Das Resultat meines Grübelns war niederschmetternd: Ich hatte überhaupt keinen Platz in der Welt! Weder in der deutschen Gesellschaft noch in Kamerun, das weit weg war und wo ich niemanden kannte. Ich hatte kein Zuhause, keine Heimat, war ein Niemand, in der Familie und in dem Land, in dem ich lebte. Ich wurde bestenfalls geduldet. Ich hatte auch niemanden, mit dem ich darüber sprechen konnte. Die in Berlin lebenden Landsleute meines Vaters, die früher im Elternhaus ein und ausgegangen waren, fragten nicht nach mir. Wahrscheinlich dachten sie, ich sei bei den ben Ahmeds, immerhin ja auch »Landsleute«, gut aufgehoben. Sie hatten genug mit sich und ihren eigenen Familien zu tun, denn über ihnen wie auch ihren Kindern schwebte ja ständig die Bedrohung durch die nationalsozialistische Rassenpolitik und die Nürnberger Gesetze. Sie waren in dieser Beziehung nicht besser dran als ich.

Die Gesetze von Nürnberg

Die im Jahr 1935 erlassenen Nürnberger Gesetze umfassten eine ganze Reihe von Bestimmungen mit rassistischem und diskriminierendem Inhalt, wie das Gesetz zum Schutze des deutschen Blutes und der deutschen Ehre, das Reichsbürgergesetz, das Hochschulgesetz, das Beamtengesetz. Die Auswirkungen dieser Gesetze betrafen nicht nur die Juden, sondern auch Roma und Sinti sowie Afrikaner und Asiaten, was bis heute weitgehend unbekannt ist. Das brachte die Nazis auch in diplomatische Schwierigkeiten mit Japan und mit verbündeten Arabern und Indern, eben all jene, die sie als »Nichtarier« bezeichneten. Der »Rassenschande«-Paragraf war eine ständige Bedrohung, besonders für uns, die jüngeren »Afros«. Man bezeichnete uns gerne abfällig als »Mischlinge« beziehungsweise »Mulatten«. Das leitet sich vom portugiesischen »mulo«, dem Maultier ab, einer Kreuzung zwischen Esel und Pferd, die sich nicht mehr fortpflanzen kann. Die verschiedenen sogenannten »Menschenrassen« können sich aber sehr wohl fortpflanzen, denn sie haben alle denselben Ursprung, dieselbe Wurzel. Diese Tatsache wurde damals nicht nur von den Nazis erbittert geleugnet.

Die Schwestern meiner Mutter, die meinen Halbbruder Herbert aufgenommen hatten, waren beide berufstätig. Tante Else war Schneidermeisterin und arbeitete zu Hause. Sie war oft krank und auf die Hilfe ihrer jüngeren Schwester Elfriede, genannt Friedel, angewiesen. Tante Friedel arbeitete als Büroangestellte bei Siemens. Es war für sie unmöglich, dass sie sich – noch dazu unter den Bedingungen der Nazizeit – mit einem schwarzen Jungen belasteten. Damit konnte ich nicht rechnen. Mein Schicksal waren die ben Ahmeds.

Onkel Mohamed war durch seine spanische Staatsangehörigkeit einigermaßen geschützt und Tante Martha, die ja mit ihm nicht legal verheiratet war, und die beiden Söhne Günther und Herbert waren und blieben auch nach den Nürnberger Gesetzen »Reichsbürger«. Sie verhielten sich pragmatisch und opportunistisch. Als Marokkaner und Muslim sympathisierte Onkel Mohamed mit dem Antisemitismus und kam mit dieser Ansicht den Nazis nicht in die Quere. Außerdem war er als Staatsangehöriger eines den Nazis nicht feindlich gesonnenen Staates bei persönlichem Wohlverhalten vor behördlicher Verfolgung und Schikanen sicher. Er konnte zwar selbst nicht lesen und schreiben, aber er abonnierte den ›Völkischen Beobachter‹. Ich habe ihm oft daraus vorlesen müssen. Bei »Flaggen-heraus«-Aufrufen wurde die Hakenkreuzfahne gehisst.

Kriegsbeginn

Für den Sommer 1939 hatten ben Ahmeds ein Engagement der Völkerschau in Bukarest gebucht. Sie stellten – eher mühsam – eine Truppe zusammen und engagierten unter anderem auch die Familie Smith, die in Köln wohnte. Die Eltern Smith kannten meinen Vater und uns, die Kinder der Familie Michael, aus den Zwanzigerjahren, als wir gemeinsam beim Zirkus Holzmüller engagiert waren. Anne-Mary Smith, eine resolute mütterliche Person, stand einer großen Familie mit zehn Kindern vor. Ihr Mann war ein eher ruhiger Typ, der kaum etwas sagte. Soweit ich mich erinnere, kam er aus Togo. Seine Frau stammte aus der Familie eines schwarzen Artisten aus den USA, John Henry Barber, der zwischen 1860 und 1870 nach Deutschland gekommen war und im Rheinland eine Schaustellerdynastie begründet hatte, die es heute noch gibt.

Eines Tages kam es zu einem heftigen Streit zwischen Anne-Mary Smith und Tante Martha, den ich ausgelöst hatte. Worum es im Einzelnen ging, weiß ich nicht mehr. Auf jeden Fall warf Anne-Mary Tante Martha vor, dass sie mir gegenüber ungerecht sei. Daran, dass das so war, war ich ja schon lange gewöhnt, aber Anne-Mary Smith nicht. Jedenfalls machte sie Tante Martha schwere Vorwürfe und erklärte ihr, wenn ich – Theo – für sie und Onkel Mohamed eine besondere Belastung sei, dann sollte sie es nur sagen, in ihrer eigenen großen Familie würde einer mehr – und damit meinte sie mich – auch noch satt werden. Der Streit endete ohne Resultat und ohne besondere Folgen.

So landeten wir also in Bukarest. Ich kann mich noch gut daran erinnern, wie viel Korruption es damals in Rumänien gab. Sie beherrschte das gesamte öffentliche Leben des Landes. An der Ausfallstraße, an der unser »afrikanisches Dorf« stand, kamen die Bauern zu Fuß mit ihren Produkten aus dem Umland vorbei. In der Nähe lungerten immer Polizisten herum, die eine Art Wegzoll verlangten. Konnte einer ihn nicht zahlen, nahmen sie ihm Waage und Gewichte ab und er bekam sie erst wieder zurück, wenn er den Obolus entrichtet hatte. Wenige Tage nach unserer Ankunft musste Onkel Mohamed mit den Reisepässen aller Truppenmitglieder zu einer amtlichen Dienststelle, ich glaube, es war die Ausländerpolizei. Er bekam die Papiere erst nach stundenlangem Warten, und nachdem er eine gute Summe bezahlt hatte, wieder. Er hatte die Regeln in diesem Teil des Kontinents noch nicht kapiert. Irgendwie ging dann auch noch etwas mit dem Management schief und wir mussten kurzfristig unsere Zelte abbrechen. Die Veranstalter blieben, soweit ich mich erinnere, den ben Ahmeds eine Menge Geld schuldig. So auch die Reisekosten.

Im August 1939 fuhren wir über Lemberg, Krakau, Kattowitz und Beuthen wieder in das Reichsgebiet ein. Es war schon überall Stacheldraht zu sehen und die Spannung an der deutsch-polnischen Grenze war am Verhalten der Grenzbeamten beider Seiten fast körperlich zu spüren. Auf beiden Seiten sah man außergewöhnlich viel Militär. In Berlin gab es nach unserer Rückkehr Verdunklungsübungen, und eine Woche vor Kriegsbeginn wurden Lebensmittelkarten ausgegeben. Der Kriegsbeginn selbst überraschte eigentlich niemanden. Es war nur die Fortsetzung einer seit Jahren anhaltenden Spannungssituation.

Onkel Mohamed, Günther und ich waren am Tag des Kriegsausbruchs gerade als Komparsen in Celle unterwegs. In der Nähe, auf einer stillgelegten Gleisstrecke wurde der Film ›Kongo-Express‹ gedreht. Der Höhepunkt dieses Films bestand darin, dass auf einer eingleisigen Bahnstrecke zwei vollbesetzte Personenzüge aufeinander zurasten. Ihr Zusammenstoß wurde im letzten Moment durch den Einsatz eines heldenmütigen deutschen Fliegers verhindert, der mit seinem Flugzeug auf die Gleise stürzte. Die Tricks, die dabei verwendet wurden, haben mir sehr imponiert, das weiß ich noch. Die Personenwagen des Zuges sahen auf jeder Seite anders aus, hatten eine andere Farbe. Bei der Fahrt wurde der Zug von zwei Seiten aufgenommen. Später in den aneinandergehängten Filmsequenzen sah das dann so aus, als ob es zwei verschiedene Züge wären. Um den Eindruck zu erwecken, dass sie in langer Fahrt aufeinander zurasten, brauchte man also nur eine relativ kurze Gleisstrecke. Darum herum hatte man eine tropische Steppenlandschaft aufgebaut, die später im Film sehr echt wirkte.

Ich war körperlich noch so klein, dass ich trotz meiner inzwischen 14 Jahre in die Kindergarderobe gesteckt wurde. Dort fühlte ich mich nicht recht wohl, obwohl ich viele der kleineren Kinder schon aus anderen Filmen kannte. Denn der Film ›Kongo-Express‹ war nur einer in einer langen Reihe sogenannter »Exoten-Filme« wie ›Der Tiger von Eschnapur‹, ›Ohm Krüger‹, ›Germanin‹, das war ein Medikament gegen die Schlafkrankheit, ›Carl Peters‹, ›Stern von Rio‹, ›Kautschuk‹ und so weiter, bei denen ich in der Komparserie mitwirkte. Es war Routine und interessierte mich nicht besonders. Als Komparse, so empfand ich es, war man mehr oder weniger Dekoration, man war nicht wirklich beteiligt und wurde nur hin und her dirigiert. Das galt für alle »Exoten« und hatte seine Gründe.

Die Nationalsozialisten hatten im Zuge der Durchsetzung ihrer Gleichschaltungspolitik auch in der darstellenden Kunst die Berufsverbände abgeschafft und dafür sogenannte Reichskammern eingerichtet. So gab es eine Reichsfilmkammer, in der wiederum Fachgruppen und Fachschaften organisiert waren. Eine Fachschaft hieß »Komparserie«. Nach den Bestimmungen der Reichskulturkammer, deren Präsident Joseph Goebbels war, Reichsminister für Volksaufklärung und Propaganda, durften im Bereich Kultur nur Personen tätig sein, die auch Mitglieder der jeweiligen Kammer waren. In diese Reichskammern wurden aber nur »Arier« oder solche, die ausdrücklich zu »Ariern« erklärt worden waren, aufgenommen. Wir, die Exoten und erkennbaren »Nichtarier«, hingegen nicht. Die Filmproduktionsfirmen mussten also für jeden Film mit »Exoten« Sondergenehmigungen einholen, die unter ganz bestimmten Voraussetzungen in der Regel auch erteilt wurden. So durften Exoten keine positiven oder herausragenden Rollen, seien sie auch noch so klein, spielen. Und unter keinen Umständen dominierende Rollen einnehmen oder an Liebesszenen beteiligt sein.

Etwa um diese Zeit wurde ich schwer krank. Ich bekam furchtbare Schmerzen, die in Krämpfe ausarteten. Die Ärzte untersuchten mich und fanden vorerst nichts, denn die Schmerzen traten vor allem im Rücken auf. Meine Pflegeeltern waren überzeugt, dass ich nur simulierte. Aber es wurde immer schlimmer. Schließlich wurde ich noch einmal gründlich untersucht und es wurden Magengeschwüre diagnostiziert. Die Ärzte konnten es selbst nicht glauben. Ein 14-Jähriger mit Magengeschwüren war ihnen noch nicht untergekommen.

Hotel Excelsior

Nach meiner Entlassung aus der Volksschule suchte ich vergeblich eine Stelle als Lehrling in irgendeinem Handwerk. Am liebsten wäre es mir gewesen, ich wäre als Koch-, Bäcker- oder Konditorlehrling untergekommen, denn dann hätte ich mich endlich mal satt essen können. Aber da war nichts. Die Handwerksmeister hatten genug Anfragen »arischer« Jugendlicher. Außerdem fürchteten sie wohl auch Konflikte mit ihren jeweiligen Fachkammern, wenn sie Nichtarier ausbildeten. Das sagten sie mir jedoch nicht, sondern erfanden andere Ausreden. Wenn ich den wahren Grund für die Absagen gekannt hätte, hätte ich sie besser verstanden. Weniger verbittert wäre ich sicher nicht gewesen.

Endlich nach vielem Klinkenputzen fand ich einen Platz. Das Hotel Excelsior war bereit, mich als Page anzustellen, mit einem monatlichen Lohn, wie ihn auch die anderen Pagen bekamen. Das Gehalt war nicht hoch und ich musste es komplett bei den ben Ahmeds abgeben. Aber da waren ja noch die Trinkgelder der Gäste. Und so verfügte ich zum ersten Mal in meinem Leben über eigenes Geld. Allerdings war ich gehalten, auch das abzugeben, damit es für mich »gespart« werden könne. Aber meine Pflegeeltern konnten meine Einnahmen in diesem Fall ja nicht kontrollieren. Ich behielt immer etwas zurück, um Bücher oder Naschwerk zu kaufen, soweit es das noch gab.

Das Berliner Hotel Excelsior hatte einen internationalen Ruf. Es befand sich in der damaligen Saarlandstraße gegenüber dem Anhalter Bahnhof und war mit diesem durch einen Fußgängertunnel verbunden. Es warb mit dem Slogan: »Das größte Hotel auf dem Kontinent«. Das stimmte sicherlich, denn es hatte über 600 Zimmer, verfügte über mehrere Restaurants und die dazugehörenden Küchen, darunter ein Bier-Restaurant im bayerischen Stil, den Thomas-Keller mit 1500 Plätzen, verschiedene Salons mit schönen Möbeln, prachtvollen Lampen und Lüstern, mehrere Personenfahrstühle, die von Fahrstuhlführern bedient wurden, sowie einen großen Empfangsbereich mit erlesenen Teppichen. Es gibt dieses Hotel schon lange nicht mehr. In den letzten Kriegstagen, als Berlin schon von sowjetischen Truppen eingeschlossen war, brannte es aus, und nach dem Krieg wurde die Ruine abgerissen.

Ich bekam eine Uniform verpasst, die schon ganze Generationen von Pagen vor mir getragen hatten. Mit blank zu putzenden Messingknöpfen und einer Hose, die nun nicht mehr bis zu den Achseln reichte, aber auch nur mit Hosenträgern über den Hüften hängen blieb. Zu meinen Aufgaben gehörten Post- und Botengänge, was ein Hotelpage eben so zu erledigen hatte. Am beliebtesten war der Job, den Hotelgästen mit leichtem Gepäck ihre Zimmer zu zeigen, denn da fiel oft ein Trinkgeld ab. Die Hoteldiener sahen es nicht gerne, wenn wir Pagen auch mal ein größeres Gepäckstück trugen, denn dann ging ihnen möglicherweise ein Trinkgeld verloren.

Die Hauptperson im Empfangsbereich des Hotels war der Chefportier. Er trug einen schwarzen Cut mit gekreuzten Schlüsseln auf dem Revers, als Zeichen seines Amtes, und einen grauen Plastron, eine graue Weste, einen steifen Kragen und Stresemann-Hosen. Er war eine Respektperson ersten Ranges und kam gleich hinter dem lieben Gott. Er war – so kam es mir vor – für alles zuständig. Für Fahrplanauskünfte, Theaterkarten und sonstige Nachfragen der Gäste, aber auch für das Personal in der Halle. Da waren die Hotelburschen, die Fahrstuhlführer, die Telefonisten und als Letzte in der Hierarchie die Pagen.

Der Generaldirektor dieses Unternehmens war der Geheime Kommerzienrat Dr. phil. h.c. Curt Elschner. Ein großer, kräftiger Mann, der irgendwie mit Hugo Stinnes geschäftlich verbunden war und sich aus kleinsten Verhältnissen über die Positionen Kellner, Oberkellner, Geschäftsführer in der Gastronomie hochgearbeitet hatte. Er hatte also eine typische Selfmademan-Karriere hinter sich. Im Hotel tauchte er plötzlich irgendwo auf, donnerte los, wenn ihm irgendetwas nicht passte, und das war fast immer der Fall, und verschwand wieder. Sah man ihn von Weitem, verschwand man am besten selbst, bevor er einen sah. Die Gäste trugen in diesem ersten Kriegsjahr zu einem großen Teil Feldgrau, denn das Hotel musste auf Anordnung der Militärverwaltung immer ein bestimmtes Kontingent an Zimmern für Soldaten frei halten.

Eines Tages wurde ich ins Personalbüro gerufen und nach meinem Mitgliedsausweis der Deutschen Arbeitsfront (DAF) gefragt. Ich hatte natürlich keinen. Wenn das so sei, dann solle ich mal gleich einen Antrag für die Aufnahme ausfüllen und unterschreiben. Ich tat es und erfuhr, dass die gesamte ca. 600 Personen umfassende Belegschaft des Betriebs geschlossen in der Deutschen Arbeitsfront war. Am Personaleingang war eine entsprechende Plakette angebracht. Man dürfe keine Ausnahme machen, wurde mir erklärt. Jede im Hotel tätige Person müsse Mitglied der DAF sein.

Einige Wochen später bekam ich vom Personalbüro die Mitteilung, dass ich mich im Zimmer soundso, im x-ten Stock in der Prinz-Albrecht-Straße Nr. Y zu melden hätte. Es war das Reichssicherheitshauptamt der SS. Beklommen fand ich mich dort ein, wurde weiterdirigiert. Endlich fand ich die richtige Zimmertür und klopfte an. Eine Stimme rief mich herein. Ich erwartete, einen missgelaunten, kahlköpfigen und dickbäuchigen SS-Beamten vorzufinden, der mich zuerst einmal anschnauzte. Stattdessen saß da ein jüngerer SS-Offizier in feldgrauer Uniform, der eher freundlich und ruhig mit mir sprach. Er hatte meine Akte vor sich auf dem Schreibtisch liegen. Ich war nicht wenig erstaunt, dass es überhaupt eine Akte von mir gab. Ich war ja gerade mal fünfzehn Jahre alt und sicher nicht irgendwie politisch aufgefallen. Er fragte nach meiner Herkunft, den Eltern, den Geschwistern, praktisch nach allem. Hin und wieder machte er sich Notizen. Nebenbei erzählte er mir, dass er selber einmal Page gewesen sei und eine gute Erinnerung an diese Zeit habe. Das Gespräch dauerte fast eine Stunde. Danach konnte ich unbehelligt wieder gehen. Ich atmete erst einmal tief durch, als ich den großen Gebäudekomplex verlassen hatte.

Wiederum ein paar Wochen später musste ich erneut ins Personalbüro und mir wurde meine Entlassung mitgeteilt. Es wurde mir ein amtliches Schreiben gezeigt, ich weiß nicht mehr, von welcher Dienststelle, und ich durfte folgenden Text lesen: »... Theodor Michael kann nicht in die DAF aufgenommen werden, weil er durch seinen negroiden Einschlag zu artfremd geworden ist ...« Ich war wie vor den Kopf geschlagen. Ich verstand erst einmal nichts. Dann dämmerte es mir, dass die Begriffe »negroid« und »artfremd« mich betrafen. Negroid war klar, das bezog sich auf meine afrikanische Abstammung. Aber was war das für eine Art, von der ich fremd geworden sein sollte?

Diese Formulierung ist mir bis heute wörtlich in Erinnerung geblieben. Hier wurde mir zum ersten Mal ganz ausdrücklich bestätigt, dass ich wegen meiner Abstammung aus einer bisher bestehenden Gemeinschaft ausgeschlossen wurde. Als ich nicht zum »Jungvolk« durfte und das Gymnasium verlassen musste, war mir ja schon signalisiert worden, dass ich nicht dazugehörte. Aber dieses Mal waren es nicht nur unfreundliche Worte, es war eine brutale amtliche Bescheinigung, dass ich nicht dazugehörte. Das Hotel stellte mir ein Zeugnis aus. Darin war von »artfremd« nicht die Rede, sondern von »beiderseitigem Einverständnis«.

Viele Jahre später habe ich irgendwo gelesen, dass Curt Elschner bei den Nazis auf der schwarzen Liste stand, weil er vor der Machtübernahme einmal Hitler und seine SA – wegen ungebührlichen Verhaltens – aus dem Hotel gewiesen hatte. Das reichte aus, um ihn nach der Machtergreifung zu schikanieren. Ich nehme an, es war so, dass die Nazis nur darauf warteten, ihm am Zeug flicken zu können. Er musste also alles vermeiden, was irgendwie Konfliktstoff für ihn sein könnte. Die Beschäftigung eines von der DAF abgelehnten Schwarzen gehörte zweifellos dazu. Insofern kann ich im Rückblick meine Entlassung verstehen. Dennoch hat sie mich damals schwer getroffen.

München

Zu Hause zuckte man nur mit den Schultern und gab mir zu verstehen, ich sollte mir schnellstens was anderes suchen, denn schließlich sei ich alt genug, um meinen finanziellen Beitrag zum Haushalt zu leisten. Kurz danach begannen die Außenaufnahmen zu ›Carl Peters‹, einem Film über den umstrittenen deutschen »Kolonial-Pionier«, der 1891 zum Reichskommissar für das Schutzgebiet »Tanganyka« (Deutsch-Ostafrika) ernannt und 1897 von der Reichsregierung in Berlin unehrenhaft entlassen wurde. Natürlich wurde aus ihm im Drehbuch – im Sinne der nationalsozialistischen Rassenpolitik – eine deutsche Lichtgestalt. Und natürlich spielte diese Rolle die Lichtgestalt vom Dienst, Hans Albers.

Wie die Vermittlung von »Exoten« in der Praxis genau ablief, weiß ich nicht, denn das erledigte einschließlich der Gagenverhandlungen Onkel Mohamed. Es gab da in der Grolmannstraße eine offizielle Vermittlungsstelle der Fachschaft Komparsen. Da wurden aber die »Exoten« nicht zugelassen. Die trafen sich in der Nähe in einer Kneipe. Eine gewisse Rolle bei deren Vermittlung spielte ein Herr v. W. Ob da Geld geflossen ist oder ob er von den Filmproduktionen bezahlt wurde, ist mir nicht bekannt. Wenn »exotische« Komparsen gesucht wurden, dann wusste er es, und sein Auftauchen in der Kneipe bedeutete zumeist Arbeit für die schwarzen Statisten und Kleindarsteller. Für ›Carl Peters‹ wurden Onkel Mohamed, Günther, Herbert und ich als Statisten engagiert. Der Regie waren wir drei Kinder nicht dunkel genug und wir wurden nachgeschminkt.

Die Außenaufnahmen fanden südlich von München, in den Isarauen in der Nähe des Klosters Schäftlarn statt. Die Garderoben waren während der Dreharbeiten in der ehemaligen Klosterbrauerei untergebracht. Gewohnt haben wir »Exoten« in einem kleinen Hotel garni in München an der Ecke Schwanthaler-/ Schillerstraße unweit des Hauptbahnhofes. Für das Hotel muss unser Aufenthalt ein ziemliches Gräuel gewesen sein. Platz für andere Hotelgäste gab es kaum, und wenn welche kamen, war deren Aufenthalt nicht von langer Dauer. 1940 kam der Herbst früh und die tatsächlichen Drehtage waren beschränkt. Das Hotel brummte fast ständig wie ein Bienenstock. Die meisten Zimmertüren standen offen, weil man sich kannte und gegenseitig besuchen ging. Die Leitung des Hotels war bestimmt froh, als wir nach etwa drei Wochen in Richtung Prag weiterzogen.

In München war in diesem Herbst die Stimmung heiterer und gelassener als in Berlin. Zumindest empfand ich es so. Wir mussten uns im Hotel selbst versorgen und bekamen statt Lebensmittelkarten, die man ja bei einem Kaufmann anmelden musste, Reisemarken, die überall gültig waren und die auch in den Restaurants angenommen wurden. Die Pflicht des Einkaufens für uns vier lag wie immer bei mir, und so ging ich eines Tages in ein Molkereigeschäft in der Schillerstraße, um Butter zu kaufen. Die Leute standen wie üblich bis auf den Bürgersteig und warteten, bis sie dran waren. An der Tür stand ein großes Plakat mit der Aufschrift: »Hier gilt der Deutsche Gruß.« Ich las es, dachte nur, »oje«, und sagte erst einmal gar nichts. Nach einem anderen Geschäft zu suchen war sinnlos, denn diese Plakate hingen praktisch in jedem Laden. Also stellte ich mich schweigend mit an. Hinter mir grüßte jemand mit dem Deutschen Gruß »Heil Hitler«, einige der Anstehenden brummelten irgendetwas, was so ähnlich klang. Danach kam eine Frau, die »Guten Tag« sagte. Sie wurde völlig ignoriert. Danach stellte sich ein älterer Herr mit einem frischen »Grüß Gott« an und fast alle drehten sich nach ihm um und gaben den Gruß zurück. Ich wunderte mich und fing an zu begreifen, dass die Dinge in München keineswegs immer so waren, wie sie schienen. Immerhin war es ja die »Hauptstadt der Bewegung«.

Als ich endlich dran war und ein junges hübsches Mädchen mit langen blonden Zöpfen mich nach meinen Wünschen fragte, sagte ich »1/4 Pfund Butter« und reichte ihr die dafür notwendigen Reisemarken. Sie sah mich an und fragte, »und Käse?« Ich nickte verlegen, denn dafür hatte mir Onkel Mohamed keine Marken mitgegeben. Sie packte alles ein und ich bezahlte. Als sie mir das Geld herausgab, lächelte sie mir zu und bediente dann den nächsten Kunden. Ich war 15 Jahre alt. Wann hatte mir zuletzt ein junges

Mädchen zugelächelt! Das war damals in Schweden gewesen, als ich in der Völkerschau als Äthiopier fungierte.

Ganz unter diesem Eindruck kam ich in unser Hotelzimmer zurück und legte die Tüte und das restliche Geld auf den Tisch. Onkel Mohamed runzelte die Stirn, packte aber erst einmal die Tüte aus. Zu meiner Überraschung hatte dieser blonde Engel mir ein halbes Pfund Butter und ein 1/4 Pfund Schweizer Käse eingepackt und dazu die Reisemarken zurückgegeben. Ich war hin und weg. Sie konnte es nicht wissen, aber sie wurde mit ihrem Verhalten zu einem dieser raren Lichtblicke in meiner sonst düsteren Jugend. Ich ging natürlich wieder in das Geschäft, aber ich sah sie dort nicht mehr.

Für die Statisterie des Films reichten die paar deutschen Afrikaner nicht aus, und so wurden afrikanische Soldaten der französischen Armee eingesetzt, die beim Frankreichfeldzug in Gefangenschaft geraten waren. Natürlich wurden sie streng bewacht, aber Kontakte zu uns konnten auf dem Set, der damals noch nicht so hieß, dennoch nicht verhindert werden. Die Verständigung war schwierig. Die Soldaten sprachen und verstanden neben ihren verschiedenen Heimatsprachen offenbar nur die französische Militärsprache. Und wir, die Afro-Deutschen, sprachen kein Französisch. Mit dem englischen Pidgin einiger unserer Landsleute kamen wir nicht weit. So waren die Kontakte mehr oder weniger auf die Zeichensprache begrenzt. Außer der dunkleren Hautfarbe verband uns eigentlich nichts mit diesen Männern, aber wir schuldeten ihnen unsere Solidarität. Und auch diese erschöpfte sich materiell in Tabak und Brot. Wir wünschten ihnen baldige Rückkehr in ihre Heimat, zumindest keinen Winter im kalten Deutschland.

Im Film ›Carl Peters‹ spielte in einer kleinen Rolle ein »Landsmann« mit, der im Ersten Weltkrieg als Askari unter General Paul von Lettow-Vorbeck gekämpft hatte und Anfang der Zwanzigerjahre nach Deutschland gekommen war. Mohamed Husen hieß er. Nachdem die Nazis an die Macht kamen, geriet er in Schwierigkeiten. Er hatte einen Antrag auf den Erhalt einer Kriegsteilnehmer-Medaille gestellt und wehrte sich dagegen, als der Antrag abgelehnt wurde. Die Medaille stand allen ehemaligen Kriegsteilnehmern des Ersten Weltkriegs zu. Ihm als Afrikaner wurde sie aber verweigert. Hinzu kam noch ein Prozess vor dem Arbeitsgericht gegen seinen Arbeitgeber, den Restaurationsbetrieb »Haus Vaterland«.

Er wurde den Nazibehörden zu unbequem. Ein Schwarzer, der aufmüpfig wurde, war das Letzte, was sie ertragen konnten. Deshalb suchten sie nach einer Gelegenheit, ihn auszuschalten. Die ergab sich durch eine Anklage wegen »Rassenschande«. Bei der staatsanwaltschaftlichen Untersuchung konnte diese Anklage aber nicht erhärtet werden. Er wäre womöglich vor Gericht freigesprochen worden. Und das wollten sie nicht riskieren. Deshalb wurde er dem SS-Sicherheitshauptamt überstellt, ins KZ geschickt und kam dort 1944 um. Es gab für ihn als Schwarzen keine Gruppensolidarität, die sonst vielen half zu überleben. Er war weder Jude noch Politischer noch Religiöser noch Krimineller, er war einfach jemand, der in die Mühlen der nazistischen Justiz geraten war und darin umkam, wie so viele andere.

Das besonders Tragische am Schicksal Mohamed Husens ist der Umstand, dass er womöglich überlebt hätte, wenn er vor Gericht gekommen und wegen Rassenschande zu einer langjährigen Freiheitsstrafe verurteilt worden wäre. Im KZ aber war er chancenlos. Die Kölner Afrikanistin Marianne Bechhaus-Gerst hat sich ausgiebig mit Mohamed Husens Schicksal beschäftigt und seinen Lebensweg in dem 2007 erschienenen Buch ›Getreu bis in den Tod‹ umfassend dargestellt. Es ist eines der wenigen afrikanischen Schicksale im KZ, deren Verlauf geklärt werden konnte. Wie Mohamed Husen war es noch einigen anderen aus dem Kreis der »Landsleute« ergangen. Sie verschwanden einfach spurlos. Deshalb machte ich es zu meiner Devise: Nur nicht auffallen, dumm stellen, alles vermeiden, das einen irgendwie in Kontakt mit den Behörden bringen konnte. Dazu gehörte es auch, nicht über die Straße zu gehen, wenn eine Ampel rot war, und überhaupt alle potenziellen Konfliktsituationen im Voraus zu erkennen und zu vermeiden.

Die weiteren Aufnahmen zu ›Carl Peters‹ wurden in Prag im Barandow-Atelier gedreht. Dort war die Atmosphäre völlig anders als in München. Der reguläre Zug von München nach Prag hatte einen Sonderwagen für die Filmleute angehängt, der bis zum Bahnhof Smichow umgeleitet wurde. Zu unserer Überraschung wurden wir von einem SS-Offizier mit einem Schäferhund an der Leine empfangen, der sicher selbst nicht genau wusste, weshalb er da war. Wahrscheinlich hatte man ihm mitgeteilt, dass bei den Filmleuten »Exoten« sind, ihm aber sonst keine weiteren Anweisungen gegeben. Er stand nur stumm herum und schaute uns zu, wie wir aus dem Zug stiegen. Wir sahen ihn einige Tage später im Hotel Europa, wo wir untergebracht waren, in Zivil und ohne Hund wieder. Ich glaube, er merkte, dass von uns keine Gefahr für das Reich ausging. Wir hatten nicht viel Kontakt zur tschechischen Bevölkerung. Im Hotel war die Stimmung eher bedrückend. Das Personal sprach nur mit uns, wenn es nicht zu vermeiden war. Ich glaube, sie konnten uns nirgendwo einordnen.

Hotel Alhambra

Zurück in Berlin musste ich mir wieder eine Arbeit suchen. Nach einem kurzen Intermezzo im Hotel Eden am Zoo, wo ich wegen der gleichen DAF-Probleme wie im Hotel Excelsior die Probezeit nicht überstand, fand ich endlich wieder eine Anstellung im Hotel Alhambra, einem kleinen, aber feinen Hotel am Kurfürstendamm. Es hieß nach dem Krieg Hotel Tusculum und wurde später, mit einer Hotelfachschule verbunden, in Hotel am Kurfürstendamm umbenannt. 2011 wurde beides geschlossen.

Das Hotel gehörte Willy Hein, der in ganz Berlin, vornehmlich im Westen, etwa ein Dutzend Filmtheater besaß, und war sein besonderes Steckenpferd. Eines der besten Restaurants in Berlin gehörte dazu, das ebenfalls »Tusculum« hieß. Willy Hein ließ dem Direktor des Hotels, einem Herrn Fenner, völlig freie Hand, auch in Personaldingen. Fenner hatte keine Hemmungen, mich einzustellen, und ich hatte mit ihm als Vorgesetzten keine Probleme. Er war sachlich und immer fair. Vom ersten Tag an fühlte ich mich wohl. Es gab nur wenig Personal im Hotel. Ein paar Zimmermädchen für jede der vier Etagen und, bevor sie zum Militär eingezogen wurden, zwei oder drei Hausburschen und ebenso viele Pagen. Anfänglich gab es noch einen Telefonisten, aber der wurde auch bald eingezogen und die Telefonzentrale blieb unbesetzt. Die Aufgabe, sie zu bedienen, wurde mir übertragen, und weil sie mit der Empfangsloge verbunden war, musste ich oft den Portier vertreten, wenn er abwesend war.

Der Hotelbetrieb war sehr übersichtlich und die Gäste waren dem Personal, wenn sie Stammgäste waren, bald sehr vertraut. Es waren viele bekannte Persönlichkeiten darunter. So der Literat Jo Hans Rösler, Schauspieler wie Rudolf Fernau und Waldemar Leitgeb. Sie waren regelmäßig bei uns. Aber auch viele Offiziere. Eines Tages kam ein ganzer Stab von Offizieren der Waffen-SS zur Einquartierung, angeführt von dem Standartenführer Hermann Fegelein aus München. Wie ich hörte, hatte Fegelein in der bayrischen Hauptstadt eine Reiterstandarte der SS geführt, die aber in diesem Krieg nicht mehr gebraucht wurde. Als die Sowjetunion im Juni 1941 überfallen wurde, kam er an die Ostfront, ich sah ihn danach noch ein paar Mal im Hotel wieder. Jedes Mal mit einem höheren Rang und einem neuen Orden. Ihm und den anderen SS-Offizieren war ich völlig gleichgültig, sie ließen mich in Ruhe. Ich glaube heute, dass sie mich überhaupt nicht wahrnahmen. Oder dass die normative Kraft des Faktischen wirkte: »Der ist nun einmal da und das wird schon seine Richtigkeit haben.«

Im Herbst 1941 begannen die Dreharbeiten zu der deutsch-italienischen Co-Produktion ›Vom Schicksal verweht‹ in Cinecittà bei Rom. Federführend war eine italienische Produktionsfirma und Nunzio Malasomma führte Regie. Produzent war Hans von Wolzogen. Ich war für eine kleine Sprechrolle engagiert und musste dafür auch Italienisch lernen. Mein Part wurde aber später in der deutschen Version wieder herausgeschnitten, während er in der italienischen blieb. Onkel Mohamed, einige andere Landsleute und ich fuhren also nach Rom. Zuvor waren aber noch einige Hürden zu überwinden.

Cinecittà

Herr Fenner bewilligte mir den unbezahlten Urlaub erst nach langem Zögern, denn Personal wurde allmählich richtig knapp. Die meisten wehrfähigen Männer waren bereits eingezogen. Zudem war ich nun auch 16 und mein Kinderausweis war ungültig. Ich brauchte einen Reisepass. Wie damals Juliana, bekam ich einen Fremdenpass mit der Staatsangehörigkeitsangabe »staatenlos«. Dann musste ein Ausreise-Sichtvermerk und ein Einreisevisum für Italien beschafft werden. Es war ein Reisepapier, das jährlich erneuert werden musste und mit dem ich während der Gültigkeitsdauer wieder ins Reichsgebiet einreisen konnte. Ich hätte aber auch, mit Ablauf der Aufenthaltsdauer im Ausland, jederzeit nach Deutschland abgeschoben werden können.

Die Eisenbahnreise von Berlin nach Rom ist für mich unvergesslich geblieben. Sie war lang und wir fuhren die Strecke in einem Rutsch durch. Kurz vor dem Erreichen der Grenze zur »Ostmark«, wie Österreich seit dem Anschluss von 1938 hieß, holten die »Landsleute« ihre Trommeln hervor und begannen, afrikanische Musik zu spielen und zu singen, wie ich es schon aus den Völkerschauen kannte. Bald sammelten sich viele Reisende vor unseren drei Abteilen und hörten zu. Zu unserer Überraschung gesellte sich auch Otto Gebühr, der in den Dreißigerjahren in vielen Filmen Friedrich den Großen spielte, zu uns. Er war ebenfalls auf dem Weg zu Dreharbeiten nach Rom und machte begeistert mit. Das animierte die anderen Fahrgäste, vor allem die italienischen, freundlich mit zu klatschen. Und so war bald der ganze Waggon ein rollender Lärm. Mir war gar nicht wohl zumute, denn wir waren inzwischen kurz vor dem Brenner, damals die Grenzstation zwischen dem Reich und dem Königreich Italien, und ich fürchtete die Reaktion der Grenz- und Zollbeamten. Als sie die Papiere kontrollieren wollten, kamen sie wegen der vielen Menschen in unserem Waggon kaum durch. Aber alles ging gut und wir fuhren weiter nach bella Italia.

In Rom sollten wir ungefähr vier Wochen bleiben und wohnten in einem kleinen Hotel mitten in der Stadt. Soweit es die Dreharbeiten zuließen und Onkel Mohamed seine Zustimmung gab, war ich bei den römischen Ruinen zu finden. Die großen Baudenkmäler, die Triumphbögen der römischen Kaiser sowie die Trajanssäule waren zum Schutz gegen Bomben mit Sandsäcken verpackt. Das Kolosseum und das Forum Romanum waren damals noch nicht eingezäunt und frei zugänglich. Ich war begeistert. Ich kannte Roms Geschichte aus Büchern, sie hatte mich immer schon fasziniert. Und nun lag mir, wenn ich auf dem Kapitol stand, diese Stadt zu Füßen. Ich zählte die sieben Hügel, auf denen sie erbaut war. Ich ging auf der Via Appia Antica, auf der 2000 Jahre früher schon der Apostel Paulus und auch Menschen aus Afrika gegangen waren, und ich sah das alles im milden Licht eines wunderbaren Herbstes, der eine andere Welt vorgaukelte.

Italien war im Sommer 1940 in den Krieg eingetreten, aber es war nicht viel davon zu merken. Es war alles ganz friedlich. Es waren zwar Soldaten in der Stadt, auch deutsche, die auf dem Weg zum nordafrikanischen Kriegsschauplatz oder auf dem Heimweg in Rom Station machten. Und in fast allen Geschäften sah man in den Schaufenstern Schilder mit dem Satz: »Siamo in guerra« (Wir befinden uns im Krieg). Mit wem, stand da nicht zu lesen. Lebensmittel waren wohl rationiert und man wurde auch überall in den Restaurants nach »tessere« gefragt, wenn man Lebensmittel kaufen bzw. eine Mahlzeit bestellen wollte. Tessere waren die Lebensmittelkarten, die auch wir bei unserer Ankunft erhalten hatten. Aber man bekam alles. Auch Kleidung und Schuhe konnte man kaufen, so viel man wollte. Onkel Mohamed ließ sich sofort ein paar Anzüge machen, die er nach unserer Rückkehr nach Berlin wieder verkaufen wollte. Und für mich fiel ein dringend benötigter Wintermantel ab.

Die italienischen Aufnahmeleiter hatten in Rom ein paar somalische und äthiopische »Landsleute« aufgetrieben, die uns Deutsche in der Komparserie verstärkten. Wir waren bass erstaunt, als einer von ihnen eines Tages im Schwarzhemd der faschistischen Partei, deren Mitglied er war, erschien. Ich begriff, dass die »Fasces«, das Liktorenbündel, nicht mit dem Hakenkreuz zu verwechseln war und vor allem nicht mit dessen Rassenpolitik. Ich weigere mich deshalb bis heute, die deutschen Nationalsozialisten als »Faschisten« zu bezeichnen.

Ein Unterschied zum Dritten Reich bestand auf den ersten Blick auch darin, dass es Zeitungen des neutralen Auslandes am Zeitungsstand im Hauptbahnhof von Rom, der Stazione Termini, zu kaufen gab. Man konnte Schweizer Zeitungen mit »feindlichen« Berichten von den Kriegsschauplätzen in Russland und Nordafrika lesen. So las ich in der ›Neuen Zürcher Zeitung‹ u. a. vom Aufbau von Partisanengruppen und ihren Erfolgen im Hinterland der deutschen Ostfront. Allerdings war das wohl auf eine Lücke im System der italienischen Zensurbehörden zurückzuführen, denn noch bevor ich Rom verließ, gab es keine Schweizer Zeitungen mehr an der Stazione Termini.

Eines Tages stand ich während einer kleinen Drehpause mit einigen anderen vor dem Studio in Cinecittà, als wir ein Flugzeug herankommen hörten. Das Fluggeräusch war so laut, dass die Gespräche verstummten und alle in die Luft schauten. Da sahen wir in ganz geringer Höhe ein Flugzeug über uns hinwegfliegen. Die Maschine flog so dicht über das Studiodach, dass wir den Piloten und seinen Begleiter klar erkennen konnten. Der grüßte, als er uns sah, und wir winkten zurück. Im gleichen Augenblick erkannten wir aber die Kokarde der Royal Air Force auf den Flügeln und am Heck. Wir sahen uns verlegen an, blickten uns um, ob »jemand Wichtiges« die Szene beobachtet hatte, und lachten. Das Ganze dauerte nur wenige Sekunden.

Da tauchte also eine britische Aufklärungsmaschine am helllichten Tag aus dem Nichts auf und verschwand ins Nichts, ohne Alarm auszulösen. Das Erstaunlichste aber war: Niemand regte sich darüber auf.

Münchhausen

Die Rückfahrt nach Berlin war eher bedrückend. Es gab keine afrikanische Musik am Brenner, es war schon kalt, als wir in Berlin ankamen. Tröstlich war, ich hatte einen neuen Wintermantel und neue Schuhe, von denen ich allerdings schon wusste, dass sie mir in einem halben Jahr wieder zu klein sein würden. Einen Tag nach meiner Rückkehr aus Rom kehrte ich an meinen Arbeitsplatz im Hotel Alhambra zurück. Der Weg von Karlshorst bis zu meiner Arbeitsstelle war lang. Es gab zwei Möglichkeiten: Entweder mit der S-Bahn vom Bahnhof Karlshorst, aber da waren zwei kilometerlange Fußwege zu bewältigen, oder mit der Straßenbahn Linie 68 von der nahen Haltestelle an der Treskow-Allee ohne Umsteigen bis direkt vor das Hotel Alhambra. Ich bevorzugte die letztere Möglichkeit, obgleich ich mehr Zeit benötigte. Konnte ich doch die langen Fahrten zum Bücherlesen nutzen. Ich hatte eine Vorliebe für die Bücher von Karl May entwickelt und las sie immer noch gerne. Aber nun beschäftigte mich auch die Kolonialliteratur über Afrika.

Etwa ein halbes Jahr später, im Frühjahr 1942, hatten sich alle »Landsleute« an einem bestimmten Tag in Babelsberg (das damals noch Neu-Babelsberg hieß) bei der Produktionsstelle der UFA einzufinden. Diese Zusammenkunft sollte die letzte mit den »Landsleuten« sein. Das wusste ich zu diesem Zeitpunkt nicht, aber ich hatte doch die Befürchtung, dass dies eine gute Gelegenheit für die Staatsmacht sein könnte, uns alle bzw. einen großen Teil von uns mit einem Schlag zu kassieren. Ich zog meine besten Klamotten und die inzwischen tatsächlich drückenden römischen Schuhe an und fuhr mit Onkel Mohamed, Günther und Herbert in der S-Bahn nach Neu-Babelsberg.

Zu den Studios war es vom Bahnhof noch ein langer Weg durch den Wald bis zum Tor des UFA-Geländes. Meine Schuhe drückten entsetzlich. Als wir im Vorraum des Studios ankamen, setzte ich mich erst einmal auf eine Bank, zog die Schuhe aus, verzog das Gesicht vor Schmerzen und musste irgendwie die Aufmerksamkeit der Regieassistentin erregt haben, die in diesem Augenblick gerade vorbei kam. Sie zeigte auf mich und sagte zu einem Begleiter: »Der passt.« Ich stand da wie ein begossener Pudel, barfuß, und sagte – wie immer – nichts. »Der braucht ja auch nicht zu sprechen«, hörte ich noch, bevor ich mich wieder in meine Schuhe quälte. Ich musste mit in die Schneiderei, an mir wurde Maß für ein Kostüm genommen, und ehe ich es richtig kapierte, hatte ich die Rolle als Leibwedler des Sultans, den Leo Slezak spielte, im Jubiläumsfilm der UFA ›Münchhausen‹ verpasst bekommen.

Ich nahm meinen regulären Urlaub im Hotel und fuhr etwa 14 Tage täglich in die UFA-Studios nach Neu-Babelsberg. Das dauerte jedes Mal hin und zurück inklusive der Fußwege eineinhalb Stunden. Die neuen Schuhe zog ich nie mehr an, sondern griff wieder auf meine alten hässlichen Schnürstiefel zurück, die wenigstens noch passten, auch wenn die Sohlen durch waren. Eigentlich hätten sie zum Schumacher gemusst. Aber ich wollte mir keine neue Litanei von Tante Martha über die Kosten anhören. Außerdem hatte ich abgesehen von den neuen keine anderen Schuhe zum Wechseln.

Der ewige Hunger, die Magengeschwüre, die kamen und gingen, und zu enge Schuhe, die Hühneraugen und Frostbeulen verursachten, sind körperlich quälende Erinnerungen an meine Pubertätszeit. Eine richtige Pubertät, wie sie anderen jungen Menschen zugestanden wurde, konnte ich mir nicht leisten. Jede Auflehnung gegen häusliche Schikanen hätte sofort zu verbalen bzw. körperlichen Strafen geführt. Und Protest, in welcher Form auch immer, gegen die staatlich verordnete Unterdrückung hätte unabsehbare Folgen haben können. Ich hatte keinen anderen Ort, an dem ich Zuflucht finden konnte. Meine Pubertätszeit bestand aus Ducken, Verkriechen, Nichtauffallen. Wenn ich allein war, tröstete mich das Beten und das Singen. Oft dachte ich an meinen Konfirmationsspruch » … mir wird nichts mangeln«. Das stimmte weniger denn je. Aber Beten beinhaltete Hoffnung und Hoffnung war das Letzte, das ich aufgegeben hätte. Irgendwann und irgendwo war ich auf das alte Volkslied ›Die Gedanken sind frei‹ gestoßen und hatte es auswendig gelernt. Es wurde mir zu einem wichtigen Begleiter in dieser Zeit.

Für die Produktion von ›Münchhausen‹, den Film zum 25-jährigen Jubiläum der UFA im Jahr 1943, hatten sie alles aufgeboten, was 1942 – mitten im Krieg – aufzubieten war. Was an Schauspielern Rang und Namen hatte, spielte mit, selbst in kleinen Rollen. Alles war hochklassig besetzt. Ich hatte nur eine winzige Rolle im Sultanspalast und im Harem. Den ganzen Film habe ich erst Jahre später sehen können und mich gewundert über den Aufwand und die Pracht, die zu dem Zeitpunkt noch möglich waren. Man kann die Entstehungsgeschichte des Films sehr schön auf einer DVD nachverfolgen, die Nina und Gerd Kosdorfer vor ein paar Jahren darüber herausgebracht haben. Für die Szenen im Sultanspalast und im Harem hatte die Produktion alles an »Exoten« aufgetrieben, was in Deutschland noch frei herumlief. Aber das reichte nicht aus. Deshalb holte man wieder aus einem Lager für französische Kriegsgefangene einige Afrikaner als Statisten. Außerdem wurden ein paar weiße Statisten schwarz angemalt.

Neben dem Regisseur Josef von Báky saß während der Dreharbeiten im Sultanspalast ständig eine kleine gut angezogene ältere Frau. Sie sah verhärmt aus, aber wenn sie lächelte, konnte man sehen, was für feine Gesichtszüge sie hatte. Ich wunderte mich ein wenig über ihre Anwesenheit, denn sie hatte keine Funktionen innerhalb des Regiestabes. Auf vorsichtige Nachfrage bei einem Aufnahmeleiter erfuhr ich im Flüsterton, dass es die Frau von Leo Slezak sei, die er jeden Tag mitbringe, »damit sie zu Hause nicht abgeholt werden könne«.

Die Atmosphäre am Set war eher locker und unterschied sich wohltuend von der außerhalb des Filmgeländes. Viele Schauspieler kannte ich von früheren Dreharbeiten, Hilde von Stolz, Hermann Speelmans und vor allem Hans Albers. Er war leutselig und jovial, hatte aber auch immer seine »Hoppla-jetzt-komm-ich«-Masche drauf. Ein besonders erfreulicher Anblick für mich als pubertierenden Jüngling, dem aber jede erotische Regung per Gesetz verboten war, war die damals blutjunge Ilse Werner, deren Erscheinung wohl jedes männliche Herz höher schlagen ließ. Sie bewegte sich grazil durch die Szene. Es war eine Freude, ihr heimlich nachsehen zu können. Sie war aber nicht die Einzige von den Filmschauspielerinnen, für die ich schwärmte. Da gab es noch die hinreißende Hannelore Schroth. Ich hatte sie bei Kriegsbeginn in dem Film ›Spiel im Sommerwind‹ gesehen und war hin und weg.

Die Gedanken sind frei

Einmal, es muss im Sommer 1942 gewesen sein, brachte Onkel Mohamed von einem seiner Besuche in der Exoten-Film-Börse einen Feldwebel der Waffen-SS nach Hause, der ihm und Tante Martha bei Kaffee und Kuchen von seinen Kriegserlebnissen in Russland berichtete. Als er wieder fort war, erzählten mir die ben Ahmeds ganz entsetzt, dieser Mann hätte an Aktionen gegen Juden teilgenommen. Wie er es schilderte, hätten sie so viele Juden getötet, dass ihnen die Seile ausgegangen seien und sie mit Draht weitermachten. Das war so ungeheuerlich, dass ich es damals nicht glauben wollte. Bis heute weiß ich nicht, was der Mann damit bezweckte, wildfremden Leuten, von denen einer Ausländer war, davon zu erzählen. Tat er das in guter Absicht, weil er wollte, dass die Gräueltaten bekannt wurden, oder wollte er provozieren?

Waren 1942 die nächtlichen Angriffe der britischen Air Force auf Berlin noch eher sporadisch, so verstärkten sie sich im Laufe des Winters 1942/43. Dieser zeichnete sich aber auch durch seine Länge und seine besondere Kälte aus. Im Frühjahr 1943 nahm eine Gruppe von italienischen Offizieren, die zum in Berlin residierenden Verbindungsstab der italienischen Armee gehörten, im Hotel Alhambra Quartier. Direktor Fenner raufte sich die Haare, denn die Italiener brachten Spirituskocher mit und kochten ihre Makkaroni und Spaghetti auf den Teppichböden der Zimmer. Auch die Damenbegleitungen waren ihm ein dauerndes Ärgernis. Ich hatte mich damals, nach meiner Rückkehr aus Rom, beim italienischen Kulturinstitut zum Sprachunterricht angemeldet und lernte zwei Mal die Woche Italienisch. Ich hatte Freude an dieser Sprache gefunden. Dennoch hätte ich viel lieber eine andere Fortbildungseinrichtung besucht, aber es gab keine, zu der ich zugelassen wurde. Das italienische Kulturinstitut legte mir keine Steine in den Weg und ich versuchte, meine spärlichen italienischen Sprachkenntnisse zu verbessern. So wurde ich zum bevorzugten Ansprechpartner für die italienischen Offiziere, aber auch zum Prellbock zwischen ihnen und der Hotelleitung. Damals stellte ich fest, dass ich durchaus diplomatisches Geschick besaß und lernte es einzusetzen.

Nach der Niederlage von Stalingrad und der Goebbel'schen Brandrede vom 18. Februar 1943 im Berliner Sportpalast wurde damit begonnen, die gesamte Öffentlichkeit auf den »totalen Krieg« einzustellen. Für mich bedeutete dies, da ich bereits das 18. Lebensjahr überschritten hatte, die erneute Musterung zum Militärdienst. Der Jahrgang 1925 war ja schon ein Jahr früher gemustert worden, ich war aber wegen meiner Staatenlosigkeit und meines »negroiden Einschlags« verschont geblieben. Schon da hatte ich mir schwere Gedanken über eine drohende Einberufung gemacht, die womöglich zur Folge hatte, dass ich bei Kampfeinsätzen gegen den Feind auf meinen Bruder James stoßen könnte, der bestimmt auf der anderen Seite schon als Soldat eingezogen worden war. Später stellte sich heraus, dass ich mit dieser Befürchtung durchaus recht gehabt hatte. Andererseits hätte ich im deutschen Feldgrau vielleicht endlich die Anerkennung finden können, die ich mir so sehr wünschte: endlich irgendwie oder irgendwo dazuzugehören.

Die Musterungskommission kam aber auch diesmal zu dem Schluss, ich sei erkennbar zu unarisch, und stellte mich zurück. Im Grunde war ich sehr froh, denn ich hätte ja sonst für diejenigen kämpfen müssen, die mich verachteten und unterdrückten. Aber ganz so einfach war es mit der Ausmusterung dann doch nicht. Direktor Fenner rief mich eines Tages in sein Büro und teilte mir mit, er sei »von höherer Stelle« aufgefordert worden, mich zu entlassen und für kriegswichtige Dinge freizustellen. Ich müsse mich sofort mit meinem Arbeitsbuch bei einer bestimmten Dienststelle im Arbeitsamt melden. Das Arbeitsbuch hatte jeder bei sich zu führen. Darin waren alle Tätigkeiten und Arbeitgeber festgehalten.

Meine ganze Vorsicht hatte mir nichts geholfen. Nun war ich

doch in die nazistische Mühle geraten. Natürlich meldeten sich wieder meine Magengeschwüre und natürlich suchte ich brav das Arbeitsamt und den betreffenden Sachbearbeiter auf, der mich mit einem Blick ansah, der ungefähr signalisierte: »Was, dich gibt es noch?« Er verlangte in barschem Ton mein Arbeitsbuch, blätterte darin und holte zu meiner Überraschung eine Akte aus einem Stapel, die offensichtlich die meine war. Er fragte: »Was hast du gelernt?« »Nichts«, war meine Antwort. »Was kannst du?« Auch diese Frage musste ich mit »Nichts« beantworten. Er machte sich Notizen: »Wo wohnst du? Bei wem?« Diese Fragen konnte ich beantworten. Er schrieb etwas auf einen Zettel. »Du bist von heute an kriegsdienstverpflichtet und wohnst im Lager Adlergestell in Adlershof und meldest dich morgen früh bei der Firma J. Gast in Berlin Lichtenberg zum Arbeitseinsatz«, sagte er mit dem bekannten drohenden Unterton in der Stimme. Dazu erhielt ich einen DIN-A4-Bogen mit Verboten und Anweisungen, an die ich mich zu halten hatte. Sonst! Am Ende musste ich zwei Unterschriften leisten. In meiner Aufregung, und da mein Magen sich wieder meldete, habe ich gar nicht gelesen, was ich da unterschrieben hatte, und weiß es bis heute nicht.

Zwangsarbeiter

Wie befohlen meldete ich mich bei der Firma J. Gast. Ich hatte im Akkord ein paar Eisenteile, deren Zweck und Sinn ich nicht erkannte, zusammenzuschrauben. Die tägliche Arbeitsnorm war 1943 noch 10 Stunden, sie wurde 1944 dann auf 12 Stunden erhöht. Die Arbeit als solche empfand ich nicht als besonders problematisch. Anders sah es mit dem Lager aus, in das ich eingewiesen wurde. Es war ein sogenanntes »Fremdarbeiter-Lager«, in dem nach Geschlechtern getrennt jene Menschen leben mussten, die aus allen besetzten Ländern ins Reichsgebiet zum Arbeitseinsatz verschleppt worden waren. Franzosen, Belgier, getrennt in Flamen und Wallonen, Holländer, Polen, Russen, Ukrainer und Jugoslawen. Diese Gruppen blieben jeweils unter sich und bildeten Solidargemeinschaften, in die Außenstehende nicht eindringen konnten. Ich sprach nur deutsch und passte wieder einmal nirgendwohin. Anderen »Landsleuten«, die ebenfalls zwangsverpflichtet worden waren, ist es ähnlich ergangen. Für uns hatten nicht einmal die Nazis eine Schublade. Warum sie uns damals nicht in einem Lager zusammengefasst haben, ist mir noch heute ein Rätsel.

Die anderen Lagerinsassen waren misstrauisch. Sie vermuteten, wahrscheinlich zu Recht, dass die Lagerverwaltung Spitzel eingeschleust hatte. Ich mit meinem »deutschen Gehabe« und der auffälligen Hautfarbe gab einen hervorragenden Verdächtigen ab. Niemand tat mir etwas, aber es war deutlich zu merken, dass mir auch niemand freundlich gesonnen war. Ich fühlte mich sehr unwohl. Dazu trug auch die Unterkunft in den Baracken mit ihren Stockbetten bei. Für seine Sachen hatte jeder einen schmalen Metallspind, wie es sie auch in Umkleidekabinen der Fabriken gab. Die Strohsäcke musste man selber stopfen und die karierte Bettwäsche konnte man einmal im Monat wechseln. Neben der Tür war eine Tafel mit Verboten angebracht. Darunter auch: »Der Geschlechtsverkehr ist dem Fremdarbeiter verboten!« Ich hatte andere Sorgen. Die Waschanlagen und Toiletten waren sehr einfach und es gab nur kaltes Wasser. Wenn man nicht musste, benutzte man diese Einrichtungen nicht. Ich habe mich möglichst immer in der Fabrik gewaschen bzw. geduscht. Die Baracken waren zudem alle verwanzt. Die Tiere verkrochen sich tagsüber in den Ritzen und fielen nachts über einen her. Nicht zum ersten Mal in meinem Leben kam mir der Gedanke: »Weg, weg, nichts wie weg!« Aber wohin hätte ich schon flüchten können mit diesem meinem Gesicht? Dem nächsten besten Beamten wäre aufgefallen, dass mit mir etwas nicht stimmte.

In jedem Betrieb, der Fremdarbeiter beschäftigte, gab es auch einen Ausländerbetreuer. In der Fabrik musste man an der Uhr stempeln. Die Stempelkarten der Fremdarbeiter hatten eine andere Farbe als die der deutschen Arbeiter. So sah der Ausländerbetreuer mit einem Blick, ob eine Karte fehlte. Es war bei massiver Strafandrohung verboten, die Karte eines anderen anzurühren. Hin und wieder sind Manipulationen vorgekommen. Franzosen und Belgier unternahmen schon mal einen Fluchtversuch, und die Kollegen stempelten ihre Karte, um ihnen einen kleinen Vorsprung zu verschaffen. Wenn die Flüchtlinge gefasst wurden, landeten sie unweigerlich im Arbeitserziehungslager oder im KZ.

Auch ich habe in meiner Verzweiflung über eine Flucht ins Ausland nachgedacht. Da kam nur die Schweiz infrage, denn alle anderen umliegenden Länder waren ja besetzt. Ich hatte mir sogar eine Fahrkarte nach Lörrach gekauft. Aber die Grenzen der Schweiz waren mindestens genauso gesichert wie die deutschen. Außerdem schickte sie abgesehen von Deserteuren jeden wieder ins Reich zurück. Nach allem, was ich darüber hörte, gab ich den Plan wieder auf. Ich gab die Fahrkarte zurück.

Als ich zum ersten Mal auf dem Weg zum Ausländerbetreuer war, hörte ich hinter mir plötzlich eine scharfe Stimme: »He, Schwarzer, komm mal her!« Ich drehte mich um und sah einen Mann im blauen Arbeitskittel an einer Drehbank, der mich mit dem Zeigefinger zu sich winkte. Zögernd kam ich näher. Als ich ihm Auge in Auge gegenüberstand, donnerte er mich an: »Wenn du hier vorbeigehst, dann hast du gefälligst zu grüßen.« Ich war perplex. Ich kannte ihn ja gar nicht. Ich sagte bescheiden: »Guten Tag.« Er brüllte: »Kennst du mich nicht?« Ich schüttelte den Kopf. »Ich bin in diesem Werk der Betriebsobmann und du hast mich mit dem Deutschen Gruß zu grüßen, wenn du hier vorbeigehst!«

Ich hätte dem Mann sagen können, dass er sich täuschte. Denn artfremd, wie ich war, durfte ich nach dem Reichsflaggengesetz mit diesem Gruß gar nicht grüßen. Das sagte ich natürlich nicht. Ich grüßte wie befohlen und kam kein zweites Mal an ihm vorbei. Wenn ich wieder einmal zum Ausländerbetreuer musste, stieg ich eben eine Treppe höher und auf der anderen Seite wieder eine Treppe hinunter. Das war feige, gewiss. Aber für mich kam es in diesem Kriegsjahr 1943 nicht auf Tapferkeit an, sondern aufs Überleben. Das wollte ich nun unbedingt. Ich war noch sehr jung, aber ich hatte mehrfach auf einer Brücke gestanden und überlegt, ob ich nicht hinunterspringen sollte. So wäre ich erlöst gewesen. Dann kam mir wieder Vers vier des 23. Psalms in den Sinn: »… und ob ich schon wanderte im finsteren Tal, fürcht ich kein Unglück, denn Du bist bei mir …« Es mangelte mir unverändert an allem, aber dennoch war das unendlich tröstlich für mich.

Ein anderes Quartier

Wenn jemand krank war, musste dies sofort telefonisch dem Ausländerbetreuer mitgeteilt werden. Sonst gab es keine Kontrollen oder Appelle. Ich hatte mich nur abends im Lager zu melden, um die Trockenverpflegung für den nächsten Tag abzuholen, die aus 125 Gramm Brot und einem Stück Margarine, Käse oder Wurst bestand. Sobald ich sie in den Händen hatte, war sie schon aufgegessen, denn ich hatte ja immer Hunger.

Wenn ich schon nicht fliehen konnte, musste ich auf eine andere Taktik zurückgreifen, um zu überleben: klug sein und mich dumm stellen. Nicht allzu weit entfernt gab es in Friedrichsfelde in der Nähe des Treskow-Parks eine Laubenkolonie, die ich kannte, weil ich dort früher an den Wegen Gras für die Kaninchen gepflückt hatte und mit einigen Leuten ins Gespräch gekommen war. Manche wohnten ständig in ihren Gartenlauben, teilweise auch, weil sie in ihren Wohnungen ausgebombt worden waren. Einige Laubenbesitzer erinnerten sich an mich. Ich fragte vorsichtig nach, ob ich wohl irgendwo eine Schlafstelle bekommen könnte. Die Frau eines Schutzpolizisten, den ich auch kannte, half mir dabei. Er war 1941 nach Polen geschickt worden und hatte dort offenbar an den berüchtigten Einsätzen der Sondereinheiten teilgenommen. Als er zurückkam, war er ein gebrochener Mann. Er sprach nie darüber, aber es war ihm anzumerken. Ich hatte ihn als fröhlichen Menschen kennengelernt. Jetzt redete er überhaupt nur noch, wenn er unbedingt musste, und mit mir gar nicht mehr.

Ich konnte bei einer alten russischen Dame in der Laubenkolonie unterkommen. Sie war nach dem Ersten Weltkrieg aus der Sowjetunion geflüchtet und froh, in diesen Zeiten nachts jemanden in der Nähe zu haben. Meine Schlafstelle war eine kalte Kammer, in die nur ein Bett passte. Waschen konnte ich mich an der Gartenpumpe. Ich brauchte abends im Lager nur meine Verpflegung für den nächsten Tag abzuholen und dann verschwand ich in der Laubenkolonie. Morgens erschien ich wieder pünktlich an meinem Arbeitsplatz. Das spielte sich ein und wurde zur Routine. Meine Schlafstelle lag etwa auf der Hälfte des Weges zwischen Adlergestell und Lichtenberg. Ich musste nur aufpassen, dass ich nicht krank wurde oder mich jemand verpfiff. Um dem vorzubeugen, informierte ich vorsichtig den Ausländerbetreuer des Werkes. Er sah mich eigenartigerweise nicht als »richtigen« Ausländer an, sondern eher als einen »Deutschen mit einem Makel«. Er knurrte ein wenig, meinte dann aber, ich sollte in ein paar Tagen wiederkommen. Er würde sehen, was sich da machen ließe.

Zufällig hatte es sich ergeben, dass gleichzeitig eine andere interne Angelegenheit in der Firma geregelt werden musste. Jeder Betrieb hatte laut staatlicher Anordnung eine Luftschutztruppe aufzustellen, die bei Fliegeralarm bereitstehen musste, um sofort einzugreifen, sobald Bomben auf das Betriebsgelände oder in der Nähe fielen. Sie unterstand einem Werkluftschutzleiter (er führte tatsächlich diesen Titel), der vom Militärdienst befreit und u. k., unabkömmlich, gestellt wurde. In der Firma J. Gast war es ein Techniker oder Ingenieur. Er machte seine normale Arbeit, wie alle anderen auch. Wenn aber Luftalarm war, war er der wichtigste Mann im Betrieb, er schickte den Bereitschaftsdienst zu den Kontrollgängen und koordinierte notwendige Löscharbeiten. Eines Tages steckte ein Zettel in meinem Stempelkartenfach, dass ich zum Luftschutzbereitschaftsdienst eingeteilt sei.

Die anderen Fremdarbeiter waren von diesem Dienst befreit. Ich hatte ja offiziell auch diesen Status, suchte also den Werkluftschutzleiter auf und machte ihn mit bescheidenen Worten auf diesen Umstand aufmerksam. Ich wollte mich drücken, denn dieser Einsatz war ja nicht ungefährlich. Er schaute mich wohlwollend an und unterbrach mich nach meinen ersten Sätzen. »Denk mal nach, Mensch, ich brauche jeden Mann und du wirst diesen Dienst tun!« Leiser setzte er hinzu: »Es ist in deinem eigenen Interesse.« Da kapierte ich sofort und übernahm von diesem Tag einmal die Woche den Dienst. Er begann mit Arbeitsbeginn um sechs Uhr und endete am nächsten Tag um die gleiche Zeit.

Fliegeralarm

Eines Tages kam der Werkstattleiter zu mir an den Arbeitsplatz und sagte, er hätte eine andere Aufgabe für mich. Sie bestand im Fahren eines Elektrokarrens. Dafür braucht man keinen Führerschein, den ich ohnehin nie bekommen hätte. Der Karren war in der Geschwindigkeit auf 8 km/h begrenzt. Der Antrieb waren Elektrobatterien, die jede Nacht wieder geladen werden mussten. Die Ladeanlage befand sich im Heizhaus und ich hielt mich dort auch auf, wenn ich gerade nicht fuhr. Von meinem Vorgänger, der am nächsten Tag eingezogen wurde, hatte ich eine kurze Einweisung bekommen. Ich musste mit dem Elektrokarren auf dem Fabrikgelände und auf dem nahen Güterbahnhof Lichtenberg Materialwagen hin und her ziehen, schwere Gegenstände transportieren und in einer Werksküche in Rummelsburg die Werksverpflegung in großen Essenskübeln abholen.

Das hatte positive Folgen für eines meiner Probleme, den ständigen Hunger. Die Werksverpflegung wurde über eine private Metzgerei bezogen, die die Aufgaben einer Werksküche übernommen hatte. Die Besitzer, das Ehepaar Weihrauch, hatten auch ein Ladengeschäft, in dem Fleisch und Wurst verkauft wurden. In der Nähe war eine Bäckerei und ich wurde oft gebeten, schnell mal einen Sack Mehl zu transportieren. Da fiel dann immer mal für mich ein Stück Brot ab, manchmal sogar ein ganzes Brot. Die warme Verpflegung wurde in unterschiedlichen Essenskübeln transportiert. Vor allem die großen waren gefüllt so schwer, dass sie ein Mann nicht heben konnte. Ich bekam für diese Arbeit einen sogenannten »Ostarbeiter« – Wassili – zugeteilt, der in der übrigen Zeit Hofarbeiter war. Die Arbeit machten wir sehr gerne. Bevor die Kübel gefüllt wurden, hatten wir unsere Portion schon gegessen.

Nach den verheerenden Angriffen britischer Fernbomber auf Berlin im November 1943, die den Westen der Stadt vor allem durch Großbrände zerstörten, verstärkten sich die Angriffe der alliierten Fliegerverbände im Laufe des Winters 1943/44 erheblich. Es verging kaum eine Nacht und kaum ein Tag, an dem es nicht mindestens einmal Fliegeralarm gab. Sobald die Sirenen losheulten, rannte alles in die Schutzbunker. So einmal auch ich.

Es war allerdings das erste und letzte Mal, dass ich einen öffentlichen Schutzraum aufsuchte. Wassili und ich waren auf dem Weg von der Werksküche zum Betrieb, als die Einschläge bedrohlich näher kamen. Unser Elektrokarren war gerade in unmittelbarer Nähe eines öffentlichen Bunkers. Die Schleusentür stand noch offen, um verspätet Eintreffende hereinzulassen. Wir schlüpften hinein, bevor die Tür geschlossen wurde. Wir kamen nur bis zum Vorraum und gar nicht in den Bunker selbst. Einige Männer standen in der Schleuse, die uns böse ansahen. Einer sagte: »Was wollen die denn hier?«, ein anderer: »Schmeißt sie doch raus! Es sind ihre Freunde, die uns da bombardieren.« Wassili hatte gar nicht richtig verstanden, was die Männer sagten. Aber ich merkte sofort, dass die Situation nun drinnen gefährlicher war als draußen. Ich gab Wassili ein Zeichen und rannte hinaus. Er folgte mir. Die Tür wurde hinter uns sofort geschlossen.

Zuerst konnten wir überhaupt nichts sehen vor Staub und Rauch. Überall brannte es. Auf der Straße lagen die gefährlichen Brandbomben. Sie konnten ganze Häuserzeilen in Brand setzen und auch den Asphalt von Straßen. Nur wenn die Straße mit Pflastersteinen belegt war, konnten sie keinen größeren Schaden anrichten. Die Schüsse der Flak und die Bombeneinschläge konnte man gar nicht mehr unterscheiden. Der Lärm war so infernalisch, dass man auch das Brummen der Flugzeuge nicht mehr hörte. Unser Elektrokarren stand völlig unbeschädigt in diesem Inferno. Wir sprangen darauf und fuhren weg, ohne uns umzusehen. Als wir endlich eine rauchfreie Gegend erreichten, hielt ich an und holte erst einmal tief Luft. Dies auch, weil wir keiner Polizeistreife begegnet waren, die uns möglicherweise als des Plünderns Verdächtige mit auf die Wache genommen hätte. Dann fuhren wir weiter und erreichten wohlbehalten unseren Betrieb, kurz bevor die Sirenen Entwarnung ansagten.

Bei einem anderen Alarm sah ich zum ersten Mal Tote. Ich hatte im Betrieb gerade mal keinen Luftschutzdienst und hatte mich während eines Alarms im Keller in eine Ecke zum Schlafen gelegt, als ich meinen Namen rufen hörte. Widerwillig stand ich auf und erhielt den Auftrag, noch während des Alarms zu einem anderen Betrieb in der Nähe zu fahren und auf weitere Anweisungen zu warten. Ich fuhr also hin. Dort arbeiteten viele Frauen. Eine Sprengbombe hatte den Schutzkeller getroffen, in dem die Frauen Schutz gesucht hatten. Es gab nicht nur Tote, sondern auch viele Verletzte. Unser Luftschutzdienst arbeitete mit anderen bereits an der Bergung der Verschütteten. Und ich hatte die Aufgabe, die verletzten Frauen mit dem Elektrokarren ins nahe liegende Krankenhaus zu transportieren. Es gab keine anderen Transportmittel in Reichweite. An der Tür zum Krankenhaus stand ein Arzt, der die Verletzten kurz untersuchte und an anderes Krankenpersonal weitergab. Mit einer der Frauen, die ich brachte, schickte er mich um die Ecke. Ich stellte fest, dass es die Leichenhalle war, in der es kaum noch Platz für weitere Tote gab.

Angst, nur Angst

Die Tage, Wochen, Monate gingen dahin, waren ausgefüllt mit Arbeit, Luftschutzdienst, Hunger, Mangel an Schlaf und vor allem Angst. Angst, vor dem was da noch kommen könnte, Angst vor dem nächsten Tag. Angst vor der nächsten Nacht. Im Rückblick verschwimmt für mich die Zeit zwischen dem Winter 1943/44 und dem Frühjahr 1945. Ich weiß nur, dass ich im Winter ständig fror und Frostbeulen an den Füßen hatte, dass die Magengeschwüre mich plagten, dass ich fast immer hungrig und immer müde war. Ich lebte von einem Tag auf den anderen.

Gelegentlich besuchte ich die ben Ahmeds. Bei einem solchen Besuch erfuhr ich, dass einige von unseren jungen »Landsleuten« gegen ihren Willen sterilisiert worden waren, als sie wegen irgendeiner Sache ins Krankenhaus mussten. Ein weiteres Damoklesschwert hing fortan über meinem Kopf. Ich war bisher schon vorsichtig im Umgang mit anderen gewesen, vor allem in der Wahl meiner Worte. Mein Stottern zwang mich dazu, von vorneherein zu überlegen, was ich sagen wollte und konnte. Es hatte sich so verstärkt, dass ich kaum einen vernünftigen Satz formulieren konnte. Nun wurde ich noch vorsichtiger. Die Magengeschwüre kamen und gingen, ich versuchte sie mit Natronpulver zu bekämpfen, allerdings ohne großen Erfolg.

Einmal gab es einen Anschlag am »Schwarzen Brett«, ein Aufruf zur Meldung von Facharbeitern für eine kriegswichtige Aufgabe an einem Ort an der Ostsee. Es wurde gute Bezahlung und Unterkunft zugesichert. Interessenten sollten sich bei der Werksleitung melden. Diese Aufforderung richtete sich in erster Linie an Maschinenschlosser, Dreher, Fräser und ähnliche Handwerker. Es meldeten sich tatsächlich einige Leute, die dann vom Betrieb beurlaubt wurden und kurze Zeit später verschwanden. Ein knappes Jahr später waren ein paar wieder da und berichteten Schauerliches aus Peenemünde, wohin sie damals verfrachtet worden waren. Von einem nächtlichen Bombenangriff der Royal Air Force mit vielen Toten und Verletzten unter den Arbeitern. Sie waren froh, diesem Inferno entkommen zu sein.

Die Nazipropaganda stellte eine Verbindung zwischen den amerikanischen Luftangriffen auf deutsche Städte und den schwarzen Soldaten in der US-Luftwaffe her. Man stellte es so dar, als ob es vor allem Afro-Amerikaner seien, die die Bombenflugzeuge flögen und damit deutsche Frauen und Kinder umbrachten. Tatsächlich gab es afro-amerikanische Piloten. Das erfuhr ich natürlich erst später. Gegen den erklärten Willen vieler hoher amerikanischer Militärs bildete damals das Tuskegee-College, das ausschließlich von Afro-Amerikanern besucht wurde und später eine Universität wurde, Militärpiloten aus. Die afro-amerikanische Bevölkerung befand sich noch immer ganz am Anfang ihres Kampfes um Bürgerrechte. Am Krieg ihres Landes gegen Nazi-Deutschland und dessen Rassenideologie teilzunehmen war ein weiterer Aspekt im Kampf um die eigene Anerkennung. Die ersten schwarzen Piloten verließen Tuskegee 1943. Sie bildeten die 99. Jagdflieger-Staffel der US Airforce und wurden überall in Europa eingesetzt. Die ersten schwarzen Bomberpiloten wurden erst nach Beendigung des Krieges in Europa in Asien eingesetzt. Die schwarzen Piloten, vor allem das FÜR und WIDER, hatten in den USA mit ihren Rassegesetzen großen Wirbel ausgelöst. Die kontroversen Diskussionen in der amerikanischen Öffentlichkeit blieben auch den Nazis nicht verborgen. Sie setzten das in ihrer Propaganda ein, allerdings mit einer anderen Zielrichtung. Sie trafen die Schwarzen und meinten die Amerikaner.

Eines frühen Morgens war ich zu Fuß auf dem Weg von meiner Schlafstelle in der Laubenkolonie zur Arbeitsstelle, als mich zwei Polizisten anhielten und nach meinen Papieren fragten. Dies war für mich keineswegs ungewöhnlich, ich wurde aufgrund meines Aussehens alle naselang kontrolliert. Natürlich hatte ich, wie immer, alle notwendigen Papiere dabei und zeigte sie vor. Die Polizisten kontrollierten sie und wollten mich gerade gehen lassen, als jemand mit lauter Kommandostimme rief: »Haltet ihn fest!« Diese Stimme gehörte einem höherrangigen SA-Uniformträger, der auf uns zu rannte. Die Polizisten gehorchten. »Vielleicht ist er ein abgeschossener Flieger«, meinte er, »das müssen wir erst einmal genauer überprüfen.« Ich müsse mit auf die Polizeiwache.

Beim Auftauchen dieses »Goldfasans«, wie man verbotenerweise diese SA-Führer nannte, rutschte mir das Herz in die Hose. Auf der Wache nahmen sie meine Personalien auf und kontrollierten nochmals alle Angaben. Der Goldfasan versuchte, englisch mit mir zu sprechen. Ich verstand das zwar, antwortete aber auf Deutsch. Das machte mich in seinen Augen noch verdächtiger. Er glaubte wohl, er hätte da einen Superspion erwischt. Mein Herz konnte gar nicht mehr tiefer rutschen, als die Polizisten zurückkamen und sagten, es sei alles in Ordnung. Die in den Arbeitspapieren angegebene Identität stimme, sie hatten mit dem Lager, in dem ich gemeldet war, wie auch mit der Firma, in der ich kriegsdienstverpflichtet war, telefoniert. Ich dürfe gehen, müsse aber unverzüglich meine Arbeitsstelle aufsuchen. Ich beeilte mich, genau dies zu tun. Ich wusste, dort war ich sicher, denn der Betrieb brauchte meine Arbeitskraft und die dortigen Verantwortlichen waren mir eher wohlwollend als feindlich gesonnen. Hans J. Massaquoi, mit dem mich eine enge Freundschaft und viele Gemeinsamkeiten verbanden, hat mir lange, bevor er sein Buch ›Neger, Neger, Schornsteinfeger‹ schrieb, erzählt, dass er im letzten Kriegsjahr Ähnliches erlebt hatte.

Arier

In den Zeitungen wurde in dieser Zeit viel von einem gewissen Subhas Chandra Bose berichtet, der in Deutschland eine Legion aus indischen Soldaten der britischen Armee, die in Nordafrika gefangen genommen waren, aufzustellen versuchte. Anfänglich unterstand die Indische Legion der Wehrmacht, wurde aber später in die SS-Verbände eingegliedert. Subhas Chandra Bose, Jahrgang 1897, war einer der Führer der indischen Unabhängigkeitsbewegung, der auch Mahatma Gandhi und Jawaharlal Nehru angehörten. 1938 wählte ihn der Indische Nationalkongress (INC) zu seinem Präsidenten. In der Führung des INC war er der große Konkurrent Nehrus. Während Bose für eine Anlehnung an die Achsenmächte plädierte, um die Unabhängigkeit Indiens zu erreichen, war Nehru der Auffassung, dass diese Unabhängigkeit nicht gegen Großbritannien, sondern nur mit ihm zu erreichen war. Bose starb 1945 bei einem Flugzeugabsturz. (Andere Versionen sprechen von dem

Untergang mit einem U-Boot.) Nach dem Krieg stellten die Briten einige Offiziere der »Jai Hind«, so hieß die Bewegung Boses, wegen Hoch-, Landesverrats und Desertion vor ein Militärgericht. Sie wurden aber freigesprochen. Subhas Chandra Bose ist bis heute in Indien sehr populär. Es hieß, Bose sei sogar von Hitler empfangen worden. Es wurden Bilder von den ersten Freiwilligen für die »Jai-Hind«-Bewegung in den Zeitungen veröffentlicht. Es waren viele dunkelhäutige Inder dabei, die sich im Aussehen kaum von mir unterschieden.

Ich verstand die nazistische Rassenpolitik nun noch weniger als vorher. Auf der einen Seite wurden nicht weiße Menschen verfolgt und auf der anderen Seite mit Freuden aufgenommen, wenn sie sich auf deutscher Seite am Krieg beteiligten. Nach welchen Kriterien wurde da entschieden? Diese Frage stellten sich auch andere. Die Kommentare und Leitartikel gaben die Antwort: Inder gehören – unabhängig von ihrem Aussehen – zur indogermanischen Rasse und ihre Sprache, das Sanskrit, geht auf die Sprache der Arier zurück, somit seien sie ebenfalls Arier. Punktum! Nach diesem Maßstab hätten die »Sinti«, ein sogenanntes »Zigeunervolk«, eigentlich ebenfalls als »echte« Nachfahren der ursprünglichen »Arier« gelten müssen. Auch ihre Sprache geht auf das Sanskrit zurück. Stattdessen wurden sie von den Nazis erbittert verfolgt. Dieser Staat mit einer so absurden und abstrusen Rassen- und Staatstheorie musste untergehen. Das dämmerte auch mir. Ab 1944 dachte ich endgültig nicht mehr an Selbstmord. Meine Devise war: durchhalten und überleben. Irgendwann muss und wird es vorbei sein.

Das Attentat des 20. Juli 1944 scheiterte und hatte furchtbare Folgen. Aber das war ein letztes Aufbäumen eines untergehenden Regimes. Wassili, mein russischer Arbeitskollege, beschwor mich, ja mit ihm nach Russland zu kommen, wenn der Krieg vorbei sei. Er versuchte, mir – mit wenig Erfolg – Russisch beizubringen. Ich bräuchte keine Angst zu haben. Die Rote Armee würde uns alle befreien. Alles würde dann gut werden. Aber noch war die Rote Armee weit weg, die Alliierten im Westen und im Süden ebenfalls und ich hatte die Nazis im Nacken. Meine Magengeschwüre setzten mir weiterhin furchtbar zu, dazu 12 Stunden Arbeit am Tag, sechsmal in der Woche und am freien Sonntag oft Luftschutzbereitschaftsdienst. Das geschah immer häufiger, weil nun endgültig alle deutschen Männer, die noch ein Gewehr halten konnten, zum Volkssturm eingezogen wurden.

Der Luftschutzbereitschaftsdienst hatte im Keller des Werkes einen großen Schlafraum eingerichtet. Es gab Doppelstockbetten mit Strohsäcken, wie ich sie aus dem Zirkus und dem Lager kannte, einen großen Tisch in der Mitte und Bänke oder Stühle. Hier hielten sich die Männer auf, wenn sie Bereitschaft hatten. Ich hatte so oft Dienst in der Woche, dass ich keine Lust hatte, in der freien Zeit meine Schlafstelle in der Laubenkolonie aufzusuchen. Ich richtete mich also auf einem Schlafplatz im Bereitschaftsraum häuslich ein. Ich hatte ja buchstäblich nichts, für das ich Platz benötigte. Ich hatte nicht einmal Kleidung zum Wechseln, außer einer langen und einer kurzen Unterhose und mehreren Fußlappen statt kaputter Strümpfe. Auch die hässlichen Schnürstiefel der Größe 40 wurden zu klein, und so bekam ich von der Ausländerbetreuung ein paar Holzbotten der Größe 44 (»Entweder du nimmst sie oder lässt es bleiben!«). Wenn ich sie innen mit Stroh ausstopfte, entlasteten sie wenigstens meine schmerzenden Frostbeulen. Das war eine große Erleichterung. Es waren keine Holzpantinen der holländischen Art, sondern Schuhe mit einer klobigen Holzsohle und oben einer Art Sackleinwand, die mit einer Lasche mit Metallverschluss gehalten wurde. Gehen war schwierig damit. Weglaufen war gar nicht mehr möglich. Auch der langsamste Hilfspolizist hätte mich eingeholt. Irgendwann brachte mir ein mitleidiger Arbeitskollege, der mit mir Luftschutzdienst hatte, ein paar alte Schnürstiefel mit. Der eine Stiefel hatte Schuhgröße 42 und der andere 43. Aber sie sahen gut aus und die Sohlen hatten keine Löcher.

Ein Wunder

Während eines Tagesangriffs amerikanischer Bomber auf Berlin im Juli 1944 blieben Wassili und ich wie immer, wenn es beim Transport der Essenskübel Alarm gab, auf der Straße. Das handhabten wir so seit unserer Flucht aus dem Bunker damals, trotz der Gefahr, als potenzielle Plünderer festgenommen zu werden. Auf Plündern stand die Todesstrafe. Wir gingen aber davon aus, dass Polizeibeamte auch nur Menschen sind, die bei Luftangriffen lieber einen Bunker oder Keller aufsuchen. Wir setzten uns also auf den Rinnstein des Trottoirs an einem unbebauten Grundstück und suchten den Himmel über uns auf eventuelle Gefahren ab.

Die Bomben schienen weit entfernt. Diesmal konnten wir die Flakschüsse einwandfrei von den Bombeneinschlägen unterscheiden. Da sahen wir plötzlich an der Häuserwand eines der Mietshäuser gegenüber ein Flugblatt heruntersegeln. Flugblätter waren unter uns Fremdarbeitern eine begehrte Sache, hofften wir doch immer, die Wahrheit über die Weltlage zu erfahren. Ich ahnte damals natürlich nicht, dass darin auch die Alliierten, genau wie die Nazis, Wahrheit mit Propaganda mischten.

Also rannten wir beide über die Straße, um das Flugblatt aufzufangen. Da hörten wir das Geräusch einer fallenden Bombe. Das bedeutete, schnellstens Deckung zu suchen. Es gab aber keine, außer der Häuserwand. Wir warfen uns auf das Pflaster des Bürgersteigs. Eine mittelschwere Explosion erfolgte, dichter Staub verhinderte jede Sicht. Als der Staub sich verzogen hatte, sahen wir genau an der Stelle, an der wir vorher gesessen hatten, einen fünf Meter breiten Trichter. Wir tasteten uns ab, es war alles in Ordnung. Wir schauten uns an, grinsten und lachten dann aus vollem Hals. Wir waren voller Dreck und Staub, aber am Leben! Von unserem Flugblatt war keine Spur mehr vorhanden. Ein Stück Papier hatte unser Leben gerettet. Von diesem Augenblick an war ich fest überzeugt, dass es einen Gott gibt, der meine Schritte lenkt und der möchte, dass ich weiterlebe.

Befreit! Befreit?

Der Winter 1944/45 war sehr kalt und lang, besonders im Osten des Landes. Die Menschen hungerten und froren und ich mit ihnen. Meine Magenschmerzen wurden fast unerträglich. Ich hätte ein Krankenhaus aufsuchen können. Aber meine Angst davor war zu groß, obgleich es noch immer Krankenhäuser unter konfessioneller Leitung gab. Wie sich später zeigte, war meine Furcht auch nicht unbegründet. Im Holocaust Memorial Museum in Washington fand ich Unterlagen, die bewiesen, dass im evangelischen Krankenhaus in Köln Sterilisationen vorgenommen wurden. Reiner Pommerin hat 1979 ein Buch darüber veröffentlicht: ›Sterilisierung der Rheinlandbastarde: das Schicksal einer farbigen deutschen Minderheit 1918–1937‹.

Der Mensch gewöhnt sich an alles, auch an Hunger und an Schlafmangel. Die letzten Monate des Dritten Reiches verbrachte ich wie gehabt: täglich von sechs Uhr morgens bis sechs Uhr abends Arbeit, mindestens einmal unterbrochen von Fliegeralarm, danach Luftschutzdienst, in der Nacht noch zweimal Fliegeralarm, Kontrollgänge auf dem Dach und den Etagen. Vor allem, um die gefährlichen Stabbrandbomben aufzuspüren, die leicht entschärft werden konnten. Allerdings gab es zwar auch solche mit einem Sprengkopf, der sich sofort nach dem Aufschlag entzündete. Im Normalfall aber und wenn die Umgebung des Einschlags noch kein Feuer gefangen hatte, genügte bereits ein Eimer Sand.

Die Alliierten hatten den Rhein erreicht und die Russen Ostpreußen, aus dem die Menschen in langen Trecks flüchteten. Sie berichteten Furchtbares. Sollte es doch stimmen, was die Nazipropaganda verbreitete? Vergewaltigte Frauen und Mädchen, erschlagene Zivilisten? Wassili war überzeugt, dass nichts davon stimmte. Die Luftangriffe wurden immer heftiger. Von den Konferenzen der Führer der alliierten Welt in Casablanca und Jalta, bei der das Schicksal Deutschlands endgültig entschieden wurde, hatte ich nichts mitbekommen. Für mich ging es nur noch darum: Wie komme ich über den nächsten Tag?

Im Januar 1945 berichteten Flüchtlinge, die Russen stünden schon vor Küstrin und an der Oder. Nachts hörte man bereits den Donner der Artillerie, der aber wieder abflaute, bis er dann im April immer lauter wurde. Es gab Dauer-Luftalarm, d. h. es wurde zu keinem Zeitpunkt mehr Entwarnung gegeben. Niemand im Betrieb kümmerte sich mehr um Produktion, Arbeitszeit oder Dienstpläne. Einige blieben, andere gingen, wohin sie wollten. In der Mehrzahl waren es ältere Männer und Arbeiterinnen, die blieben, aber auch Flüchtlinge, die von der Straße kamen und in den Kellern der Fabrik Schutz suchten. Die Männer dachten vor allem an den Erhalt möglicher zukünftiger Arbeitsplätze, denn die brauchte man ja auch noch nach einem verlorenen Krieg.

Ich hatte mein ständiges Quartier sowieso im Schlafraum der Luftschutzbereitschaft aufgeschlagen. Da wir Zurückgebliebenen praktisch Dauerdienst hatten, mussten je zwei Mann auf den Dächern oder im Hof nachsehen, ob es irgendwo brannte. Am 20. April 1945, für mich einer der letzten Kriegstage, war der Beschuss der russischen Artillerie so heftig, dass wir den gleichzeitigen Bombenangriff der Amerikaner gar nicht mitbekamen. Aus dem Keller kam man sowieso kaum noch heraus, weil die russischen Jagdflieger, die niedrig über die Dächern fegten, auf alles schossen, was sich bewegte. Und dann waren sie plötzlich da. Ich wurde gebeten, bei möglichen Verhandlungen anwesend zu sein. Als der Kampflärm draußen abflaute, schlich ich mich vorsichtig an das Werkstor und öffnete es. Ein offenes Tor ist ja immer eine Einladung, und das war auch beabsichtigt. Die Russen sollten sehen, dass wir sie erwarteten.

Die Russen

Der erste sowjetische Soldat, den ich zu Gesicht bekam, war ein älterer Mann ohne Helm, der ein langes Gewehr mit einem aufgepflanzten Bajonett über der einen Schulter trug. Er hatte einen sehr langen Mantel an und einen einfachen Beutel über der anderen Schulter. Er kam ganz allein die menschenleere Siegfriedstraße herauf. Überall hingen schon weiße Tücher. Ich winkte auch mit einem weißen Tuch, er winkte zurück, ohne mich wirklich zu beachten. Ich ging wieder über den Fabrikhof und wollte zurück in den Keller. Da sah ich, wie in einer Ecke des Hofes zwei russische Soldaten einem Schwein mit einer Lötlampe die Borsten abbrannten. Offensichtlich hatten sie es gerade geschlachtet. Sie hatten ihre Maschinenpistolen auf den Boden gelegt und waren ausschließlich mit diesem Schwein beschäftigt. Eine absurde Situation! Als ich vorbeikam, schauten sie mich an, grinsten und widmeten sich wieder ihrem zukünftigen Braten.

Kurz nach mir betrat ein weiterer russischer Soldat den Keller, setzte sich auf einen Stuhl, legte seine Maschinenpistole auf den Schoß und verlangte Schnaps. Allen verfügbaren Alkohol hatten die anderen aber schon in den Abfluss geschüttet, in der richtigen Annahme, dass dies etwas sei, was sofort verlangt würde. Während ich draußen war, hatten die Männer die meisten Frauen in einen anderen Raum gesteckt und volle Regale mit schweren Metallteilen vor die Tür geschoben. Kurze Zeit später war der Keller voll mit russischen Soldaten, die kamen und gingen. Und dann kam einer, der mit einer Pistole herumfuchtelte und einige Männer, darunter mich, in eine Ecke drängte. Wir standen verängstigt im Kreis um ihn herum. Er zeigte auf eine Armbanduhr und schrie: »Uri, Uri!« Die, die noch eine hatten, gaben sie ihm, er nahm auch Taschenuhren. Ich hatte keine. Er funkelte mich böse an, ließ mich aber gehen, als ich meine leeren Taschen nach außen zog. Nach »Uri, Uri« kam in diesen ersten Tagen der Eroberung Berlins auch noch der Ruf »Frau, komm«. Über die damit verbundenen Tragödien, nicht nur für die unmittelbar betroffenen Frauen, sondern auch ihre Männer, die eingreifen wollten und dabei getötet wurden, ist viel geschrieben worden. Es waren schreckliche Tage.

Offensichtlich hatte die sowjetische Führung die Stadt ganz offiziell für drei Tage zur Plünderung freigegeben. Aber nach diesen drei Tagen griff sie energisch durch. Ich habe mit eigenen Augen gesehen, wie drei russische Soldaten einen Wohnblock betraten, nach einiger Zeit mit Sachen bepackt herauskamen und von einer bereits wartenden Militärpolizeistreife nach kurzem Wortwechsel im Hof erschossen wurden. Ich war schockiert, hatte wieder etwas gelernt und verzog mich schnellstens.

Die Befreiung hatte ich mir ein bisschen anders vorgestellt. Und tatsächlich dauerte es eine Weile, bis ich begriff, dass ich selber wohl »frei« war, aber andere Menschen in eine Art »Unfreiheit« geraten waren, die genauso unfreiwillig war, wie vorher meine. Das war bedrückend. Das Schlimmste für mich war, dass ich nichts, aber auch gar nichts daran ändern konnte

Ich machte mich nun zu Fuß auf den Weg nach Friedrichsfelde. Es erstaunte mich, dass an der Frankfurter Allee bereits Propagandaplakate der Roten Armee aufgestellt waren, mit Slogans wie: »Die Hitler kommen und gehen …« Auf der Straße kamen mir Hunderte von Panjewagen entgegen, die in die Stadt drängten, in der weiterhin gekämpft wurde. Dazwischen Jeeps und Lkws amerikanischer Bauart. Die wenigen Zivilisten, die ich sah, trugen weiße Armbinden, manchmal auch rote oder rot-weiße. In der Laubenkolonie traf ich meine alte Schlafstellen-Geberin wohlbehalten an. Sie hatte schon gar nicht mehr mit meiner Rückkehr gerechnet und glaubte mich auf dem Weg nach Westen. Auch in der Laubenkolonie waren nachts Schreie und Schüsse zu hören. Am nächsten Morgen wollte ich weiter nach Adlershof, in das Fremdarbeiterlager, wo ich, wie ich annahm, von den sowjetischen Behörden die Weichen für meine Zukunft gestellt bekäme.

An den Toren des Lagers standen sowjetische Soldaten und kontrollierten jeden, der hinein- oder hinauswollte. Es herrschte ein unbeschreibliches Chaos und das in allen Sprachen Europas. Jeder, der ins Lager wollte, musste sich bei einer Art Kommandantur melden. Diese »Kommandantura« war ein großer Raum, in dem mehrere Tische standen, an dem jeweils mindestens eine Person in Uniform saß. Ich wurde von einem Soldaten zu einem bestimmten Tisch geschickt. Dort saß ein Offizier. Ein Dolmetscher in Zivil stand neben ihm. Ich nannte meinen Namen, meine Baracken-Nr. usw. Der sowjetische Offizier blätterte in meinem Arbeitsbuch mit dem großen Nazi-Hoheitszeichen auf dem Deckblatt, sah mich an und fragte mich – über den Dolmetscher –, was ich hier in Deutschland zu suchen hätte. Ich war konsterniert und erklärte, dass ich doch hier geboren sei. Mein Vater sei, nachdem Kamerun deutsche Kolonie geworden war, nach Berlin gekommen. Es habe ihm hier gut gefallen und er sei geblieben. Er blickte mich mit hochgezogener Braue streng an und fragte weiter: »Es war also gut hier?« Ich stimmte zu. Erst dann merkte ich, dass wir von unterschiedlichen Zeiten sprachen. Mein »gut« bezog sich auf meinen Vater und die Kaiserzeit, in der er gekommen war. Der Offizier aber sah nur ein nationalistisches Nazireich mit lauter Kollaborateuren vor sich. Ob ich für die Nazis gearbeitet hätte, war die nächste Frage. Wahrheitsgemäß antwortete ich, dass ich als Fremdarbeiter kriegsdienstverpflichtet gewesen sei, hier in diesem Lager untergebracht war und in einem Rüstungsbetrieb gearbeitet hatte. Ich weiß nicht, woran es lag, möglicherweise auch an der Übersetzung des Dolmetschers, der wahrscheinlich ebenfalls ehemaliger Fremdarbeiter oder Kriegsgefangener war. Aus dem Gespräch hatte sich ein strenges Verhör entwickelt, das für mich unangenehm wurde. Er beschuldigte mich, einer dieser verdammten Nazi-Kollaborateure zu sein.

Ich merkte plötzlich, dass ich im Begriff war, in eine neue mir bisher unbekannte Zwickmühle zu geraten. Ich ärgerte mich sehr, weil ich die ganze Zeit so vorsichtig gewesen war und mich nun, weil ich mich nicht vorsichtig genug ausgedrückt hatte, in eine neue Gefahr hineinmanövriert hatte. Der sowjetische Offizier hatte sich während des »Gespräches« einige Notizen gemacht. Ich war ihm verdächtig, zumal ich auch nur deutsch sprach. Er befahl mir, auf meine Baracke zu gehen und dort zu warten, bis die »richtigen Leute« kämen, die meinen Fall untersuchen würden. Mein Arbeitsbuch legte er mit seinem Zettel versehen auf die Seite.

Das hatte mir gerade noch gefehlt. Das musste ich unbedingt vermeiden. So ließ ich mein Arbeitsbuch zurück und verzichtete darauf, die Baracke aufzusuchen. Stattdessen machte ich mich mit festen Schritten auf den Weg zum Tor. Die Posten hielten meist nur die »eigenen Leute« zurück, wenn sie nicht ein bestimmtes Papier mit einem bestimmten Stempel vorzeigen konnten. Da ich erkennbar nicht zu »ihren« Leuten gehörte, schaute der Posten mich nur kurz an, nickte mir freundlich zu und ich verschwand für immer aus diesem Lager.

Nun machte ich mich auf den Weg zu den ben Ahmeds. Auch sie traf ich unversehrt an. Aber das Haus war durch einen Luftangriff stark beschädigt. Sie hatten sich notdürftig in einem nicht beschädigten Zimmer eingerichtet. Für mich war da im Grunde kein Platz. Nach allem, was ich mit ihnen erlebt hatte, wollte ich auch nicht auf Dauer wieder mit ihnen zusammenleben.

Nachts war Ausgangssperre. Ich blieb eine Nacht, schlief im Keller und verschwand am nächsten Tag, ohne mich zu verabschieden. Jahre später hörte ich, dass mir meine früheren Pflegeeltern mein Verschwinden sehr übel genommen haben. Kurz nach meinem Weggang mussten sie die Wohnung räumen, weil sie im Sperrgebiet lag, das die Rote Armee für sich beanspruchte. Aber falls sie mich überredet hätten zu bleiben, weil sie mich brauchten, hätte sich an unserem Verhältnis nichts geändert. So war es praktisch ein Abschied für immer. Ich sah sie erst 16 Jahre später unter ganz anderen Umständen wieder.

Es war früher Morgen, als ich das Haus in Karlshorst verließ. Ich war nun 20 und konnte mein Schicksal endlich selbst in die Hand nehmen. Ich hatte nichts, was ich mitnehmen konnte, keinen Rucksack, keinen Koffer, nur das, was ich auf dem Leib trug und – meine persönliche Freiheit.

Doswidanja

Die Führung der Roten Armee improvisierte hervorragend. Während in Berlin noch gekämpft wurde, organisierte sie in den Außenbezirken bereits das tägliche Leben. Auf diese Weise landete ich auf meinem Weg in die Freiheit zunächst in einer Fleisch- und Wurstfabrik. Sie lag in Friedrichsfelde und ich war früher Hunderte Male an ihr vorbeigegangen. Nichts Böses ahnend, wollte ich das auch diesmal tun, als eine Streife von drei sowjetischen Soldaten aus dem Tor trat und mich anhielt. Ich war völlig überrascht und wollte meinen Pass hervorholen. Ich hatte noch immer meinen Fremdenpass. Sie drängten mich mit vorgehaltener Waffe in den Fabrikhof und übergaben mich dort an einen anderen Soldaten. Zuerst dachte ich, es sei eine normale Personenkontrolle. Aber er wies mich mit barscher Stimme an, Lastwagen mit Schweinehälften und Rindervierteln zu entladen. Ich war offensichtlich nicht der Einzige, den die Russen auf diese Weise zur Arbeit »gebeten« hatten, es standen bereits mehrere Männer auf bzw. am Wagen. Außerdem waren noch einige ehemalige italienische Fremdarbeiter oder Kriegsgefangene da, die in der Fabrik gearbeitet hatten, als diese noch für die deutsche Kriegswirtschaft produzierte. Sie wohnten auch auf dem Gelände.

Die Fleischteile waren teilweise noch gefroren. Wie sie unter den damaligen Umständen in dem Zustand gehalten werden konnten, war mir ein Rätsel. Allerdings war es den Russen gelungen, das fast unbeschädigte Kraftwerk Rummelsburg ganz schnell wieder in Gang zu setzen. Nachdem der Lkw leer war, musste ich andere Arbeiten verrichten, z. B. Schutt wegräumen. Im Laufe des Vormittags kamen noch mehrere Lkws der Roten Armee aus amerikanischer Produktion mit Fleischteilen an und die Abladearbeiten gingen weiter. Das Fleisch wurde von den Italienern unter Aufsicht der Russen sofort verarbeitet und in Konservendosen gepackt und gestapelt. Mir lief das Wasser im Mund zusammen beim Anblick der vielen Konservendosen, die da zum Transport bereitlagen. Es handelte sich offensichtlich um Verpflegung für die Rote Armee.

Mittags gab es eine hervorragende Suppe und man konnte sich am Kessel holen, so viel man wollte. Ich hatte seit Jahren immer einen Esslöffel dabei, er war so wichtig wie Kamm und Zahnbürste. Ich hätte eher auf die beiden Letzteren verzichtet als auf den Löffel. So konnte ich meine Schüssel genüsslich auslöffeln, anders als viele andere, die die Suppe aus der Schüssel schlürfen oder warten mussten, bis sie unter harten Rückgabebedingungen einen Löffel geliehen bekamen. Es war seit fast zwei Wochen die erste warme Mahlzeit. Ich habe wohl nie mehr im Leben ein Mahl so genossen.

Am Nachmittag fragte ich einen der Männer, die mit mir arbeiteten, wann denn hier Feierabend sei, denn ich wollte noch einen kurzen Besuch bei Weihrauchs in der ehemaligen Werksküche machen, bevor es dunkel wurde und die Ausgangssperre in Kraft trat. Der Mann schaute mich traurig an und sagte, er sei schon seit gestern Morgen hier, sei nur mal eben aus dem Haus gegangen, bevor er geschnappt wurde. Seine Familie mache sich bestimmt große Sorgen um ihn. Das waren ja schöne Aussichten! Ich hatte genug. Ich schnappte mir meine Jacke, die ich am Morgen in eine Ecke gelegt hatte, wickelte sie um eine Fleischkonservendose, ging ruhigen, sicheren Schrittes zum Tor, grüßte die dort stehenden Posten mit einem freundlichen »Doswidanja«, wurde ebenso freundlich zurückgegrüßt und ging einfach weiter bis zur nächsten Straßenecke. Dann rannte ich los bis zur nächsten Ecke und blieb erst stehen, als ich etwa einen halben Kilometer entfernt war. Die Kraft des Faktischen hatte wieder einmal gewirkt. Die Soldaten am Tor hatten sicher geglaubt, alles sei in bester Ordnung, als ich festen Schrittes auf das offene Tor zuging. Erst später wurde mir klar, was hätte passieren können, wenn ich geschnappt worden wäre: Kriegsgericht wegen Flucht und Diebstahl sowjetischen Eigentums! Wie viele Menschen sind wegen solcher Bagatelldelikte zu langjährigen Strafen verurteilt worden, die sie in Sibirien verbüßen mussten.

Es war gerade noch hell, als ich bei Weihrauchs ankam. Sie wohnten im Parterre gleich hinter dem Metzgereigeschäft in einem mehrstöckigen Mietshaus. Die Haustür war praktisch nicht mehr vorhanden. An ihrem Rahmen waren kreuzweise zwei Bretter als notdürftige Absperrung genagelt. Die Familie Weihrauch freute sich sehr, als ich auftauchte. Sie hatten ein sicheres Versteck ganz in der Nähe und mussten ihre Wohnung nicht unbeaufsichtigt zurücklassen, wenn ich da war. Die Wohnung war schon mehrmals durchwühlt worden. Sie waren auch hocherfreut über die Dose Fleisch, die ich mitbrachte. Das reichte für uns alle, Herrn und Frau Weihrauch, die beiden Kinder, das Hausmädchen und mich. Brot hatten sie noch beim Bäcker eingetauscht. Alle anderen Vorräte waren geplündert. Herr Weihrauch gab mir ein Nachthemd von sich. Das einzige Hemd, das ich hatte, stank. Es war durch meine Tätigkeit beim Fleischtransport so verschmutzt, dass man es nicht mehr tragen konnte, bevor es nicht gewaschen war.

Weihrauchs gingen in ihr Versteck und ich machte es mir in der Wohnung auf einer Couch bequem. Von ferne waren noch immer einzelne Schüsse zu hören, aber der Kampf um Berlin war entschieden. Ich schlief sofort ein. Mitten in der Nacht wurde ich durch ein Geräusch an der Wohnungstür geweckt. Ich schnappte mir das Metzgerbeil, das ich am Abend neben die Couch gestellt hatte, und rannte laut schreiend durch den Korridor zur Haustür. Ich sah gerade noch, wie zwei russische Soldaten einen Moment stutzten und sich dann schnell durch die nicht mehr vorhandene Haustüre verzogen. Wahrscheinlich hatten sie mich für ein Gespenst gehalten, wie ich da mit meinem langen weißen Gewand und einem blinkenden Gegenstand in der Hand auftauchte. Es war ja Nacht und mein dunkles Gesicht, meine dunklen Hände und Füße waren überhaupt nicht zu sehen. Es war ziemlich komisch. Aber es hätte auch böse ausgehen können, wenn diese Soldaten, die doch nur ein bisschen plündern wollten, sich nicht ins Bockshorn hätten jagen lassen, sondern zur Waffe gegriffen hätten. Die Weihrauchs versuchten mich am nächsten Morgen zu überreden, ich solle doch noch ein bisschen bleiben. Der Krieg sei zwar vorbei, aber man wisse ja überhaupt nicht, wie es weitergehe. Ich ließ mich überzeugen. Ich wusste ja auch nicht, wie es mit mir weitergeht. Eines wusste ich allerdings. Ich wollte, wenn irgend möglich, weiter nach »Westen«.

Bei den Weihrauchs konnte ich sogar noch meine »Besitztümer« vermehren. Eine der ersten sowjetischen Einheiten, die durch Rummelsburg zogen, hatte Schlachthaus und Wurstküche des Betriebs in eine Badeanstalt umgewandelt. In den großen Wurstkesseln wurde Wasser heiß gemacht und die vielen Wasserhähne und Schläuche eigneten sich hervorragend für Dusch- und Badezwecke. Einige Soldaten hatten Unterwäsche und Hemden gewechselt und die benutzte Wäsche einfach liegen gelassen. Frau Weihrauch und das Hausmädchen hatten ein paar brauchbare Stücke gewaschen und den Rest verbrannt. Ein Hemd war dabei, das mir passte. So hatte ich, nachdem mein eigenes Hemd auch wieder gewaschen war, nun zwei.

Sieger und Nicht-Sieger

Nach der endgültigen Kapitulation normalisierte sich das Leben in Berlin relativ schnell, in dem Sinne, dass unter völlig veränderten äußeren Bedingungen der Lebenswille der Individuen die Oberhand behielt. Nach fast sechs Jahren Krieg und ständiger Bedrohung wollten die Menschen einfach leben. Der unbändige Überlebensdrang des Homo sapiens macht es möglich. So auch nach diesem Krieg, seinen Schrecken und seinen Folgen. Im Sommer 1945 gab es keinen deutschen Staat mehr. Die Städte lagen in Trümmern, die Menschen hatten oft kaum mehr ein Dach über dem Kopf und litten Not. Die Familien waren auseinandergerissen und viele Millionen auf der Flucht, vertrieben oder in Gefangenschaft.

Die Russen hatten sofort in ihren lokalen Kommandanturen bzw. daneben Bürgermeistereien für die deutsche Bevölkerung eingerichtet. Es gab auch bald wieder Lebensmittelkarten in deutscher und russischer Sprache. Die Ladenbesitzer wurden aufgefordert, ihre Läden zu öffnen, sich Bezugsscheine für Lebensmittel zu holen und mit der Verteilung zu beginnen. Herr Weihrauch und ich gingen zur Verteilungsstelle, bekamen einen Schein für vier Rinderviertel, holten den zweirädrigen Handkarren aus dem Schuppen und trabten damit zum Schlachthof in Lichtenberg. Dort bekamen wir nach viel Gezeter unsere vier Rinderviertel. Sie rochen bereits. Auf dem Weg zurück hielt uns ein russischer Soldat auf einem Panjewagen an und verlangte die Übergabe zumindest eines Viertels. Wir weigerten uns. Er drohte, uns alles wegzunehmen, wenn wir ihm nicht eines abgäben. Wir willigten schließlich ein, wenn er uns dies schriftlich bestätigte. Das tat er auch, kritzelte etwas auf ein Stück Papier und das Rinderviertel wechselte das Transportmittel.

Am nächsten Tag gingen wir mit diesem Zettel wieder zur örtlichen Kommandantur, legten ihn vor und erfuhren sinngemäß, dass der Obergefreite der Roten Armee – es folgte ein Name – von der Einheit XYZ ein »Stück Fleisch« requiriert habe, weil seine Einheit dies unbedingt benötigte. Wir waren doch ein wenig erstaunt über diese korrekte Abwicklung. Der Soldat hätte sonst was auf den Zettel schreiben können. Er wusste ja, dass wir es nicht lesen konnten. Allerdings wurde es schwierig, den Begriff »ein Stück« zu definieren. Der deutsche Beauftragte, an den das Papier weitergegeben wurde, wollte wissen, wie viel Kilo dieses Stück gewogen hatte. Natürlich konnten wir das nicht beantworten. Herr Weihrauch nannte das durchschnittliche Gewicht eines Rinderviertels und legte noch ein bisschen drauf. So bekamen wir einen weiteren Berechtigungsschein für ein besonders großes Rinderviertel. Leider roch dieses Stück noch stärker als die vom Vortag. Wir beeilten uns, nach Hause zu kommen. Das ganze Fleisch wurde gründlich in Salzlake gewaschen und kam unter Verarbeitung von viel Salz und Geschmacksstoffen in die Wurstmaschine. In anderer Form konnte man es nicht mehr verzehren.

Weihrauchs hatten sich noch rechtzeitig reichlich mit natürlichen und künstlichen Wurstdärmen eingedeckt. Die ganze Nacht standen wir am Kutter und den Wurstmaschinen und am nächsten Morgen wurde das Geschäft geöffnet. Bald bildete sich vor der Tür eine lange Menschenschlange. Trotz der strikt eingeforderten Abgabe von Fleischmarken war die Wurst bald ausverkauft. Wann es die nächste Zuteilung gab, wusste niemand.

Widersprüchliche Gefühle

Erst nach und nach begriff ich im Sommer 1945, welch eine Befreiung die Niederlage des Nazistaates für mich tatsächlich bedeutete. Aber dieses Gefühl war auch widersprüchlich. Ich war natürlich von Genugtuung erfüllt, doch auch von der Trauer über die Zerstörung und Zersplitterung Deutschlands, das ja unverändert meine Heimat war. Ich war mit den »alten preußischen« Werten groß geworden. Sollte das plötzlich nicht mehr gelten? In den Jahren der Bedrückung und Verfolgung hatte ich von einzelnen Menschen, auch Fremden, so oft eine menschliche Behandlung erlebt, dass das Negative und Unmenschliche dahinter zurücktrat. Deshalb war ich von Mitgefühl erfüllt mit den Menschen, die litten, insbesondere, wenn sie ohne eigene Schuld für die Verbrechen ihrer Führung bestraft wurden. Meine Umwelt begann mich nun auch anders zu betrachten. Von meinem Aussehen her konnte ich nicht zu den Verlierern gehören. Also rechnete man mich den »Siegern« zu. Eigentlich ein schönes Gefühl nach all den Jahren. Doch ich konnte es nicht unbefangen genießen. Schließlich hatte ich nichts Besonderes geleistet, keinen aktiven Widerstand. Ich hatte keinen Tag im KZ verbracht. Ich hatte mich eigentlich nur geduckt und verkrochen und versucht, den ärgsten Schlägen auszuweichen. Meine Methode, Problemen aus dem Weg zu gehen, hatte mir beim Überleben geholfen. Aber ein Held war ich nicht.

Ich half den Weihrauchs dabei, die Wohnung und Arbeitsräume wieder benutzbar zu machen. Die sowjetische Militärverwaltung unternahm große Anstrengungen dafür zu sorgen, dass sich das Leben in Berlin wieder normalisierte. Sie ordnete zum Beispiel an, dass in den Straßen der Schutt von Fahrbahnen und Bürgersteigen fortgeschafft wurde. Was weggeräumt wurde, das wurde einfach auf andere Trümmer verteilt. Eines Tages erreichte uns das Gerücht, die Russen suchten Arbeitskräfte in den großen Magazinen von Rummelsburg, die Leute würden mit Lebensmitteln entlohnt. Man solle ganz früh hingehen und einen Beutel oder eine Tasche mitnehmen. Ich machte mir aus einem Kartoffelsack eine Art Rucksack zurecht. Damit und mit zwei Leinenbeuteln ging ich dorthin. Vor dem Tor hatte sich schon eine große Menge von Menschen versammelt.

Die russischen Posten ließen nach und nach jeweils eine Person ein. Andere wiesen sie ab. Es wurde mir nicht ganz klar, nach welchen Kriterien sie sortierten. Obgleich ich dünn wie eine Bohnenstange war, wurde ich eingelassen und in eines der großen Magazine geschickt, wo ich zusammen mit Anderen Getreide in Säcke schaufeln und in einer anderen Halle stapeln musste. Am Abend konnte sich jeder einen Beutel mit Mehl und einen mit Zucker abfüllen. Man bekam einen Zettel und konnte am nächsten Tag wie-

1
Mutter Martha
(ca. 1910)

2
Christiane und James Michael
(ca. 1917)

3
Martha Michael mit den älteren Kindern im Freibad Wannsee (ca. 1919)

4
Mohameds Völkerschau. Dritter von rechts stehend: der Vater Theophilus Michael, in der Mitte sitzend mit Turban: Mohamed ben Ahmed, auf seinem Schoß Theodor Michael im Alter von drei Jahren, links sitzend Schwester Christiane, rechts Schwester Juliana (etwa 1928)

5
Familie Michael
mit Stiefmutter Martha,
geb. Schlosser (1929)

6
Unterwegs mit dem
Zirkus Knie:
Theodor Michael und
Günther ben Ahmed (1934)

7
Juliana und Theodor im Waisenhaus (1933)

8
Juliana (etwa 1935)

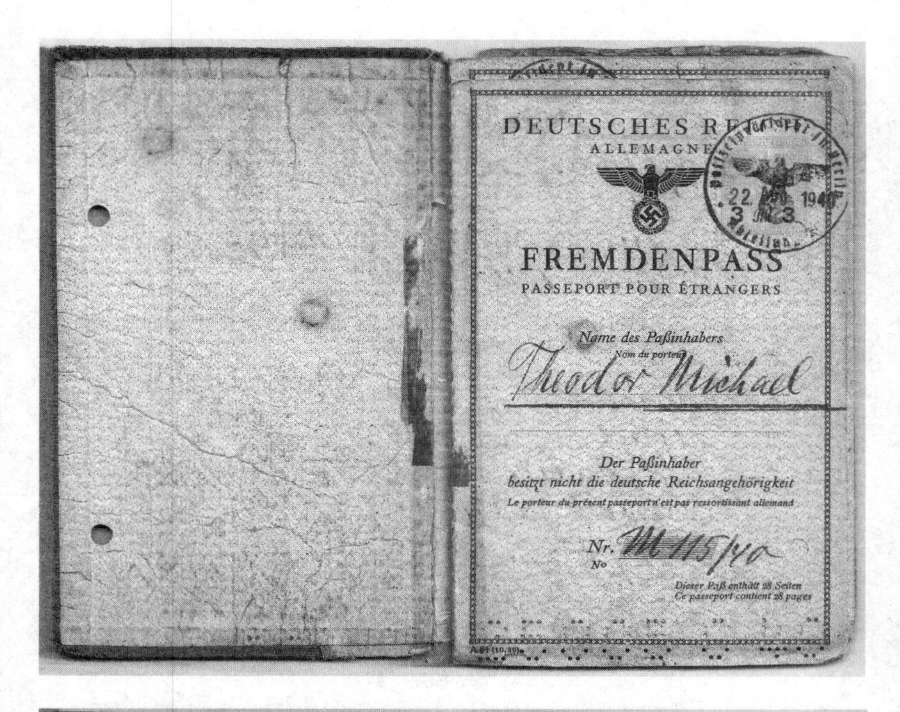

DEUTSCHES RE[illegible]
ALLEMAGNE

FREMDENPASS
PASSEPORT POUR ÉTRANGERS

Name des Paßinhabers
Nom du porteur
Theodor Michael

Der Paßinhaber
besitzt nicht die deutsche Reichsangehörigkeit
Le porteur du présent passeport n'est pas ressortissant allemand

Nr. [illegible] 115/40
No

Dieser Paß enthält 28 Seiten
Ce passeport contient 28 pages

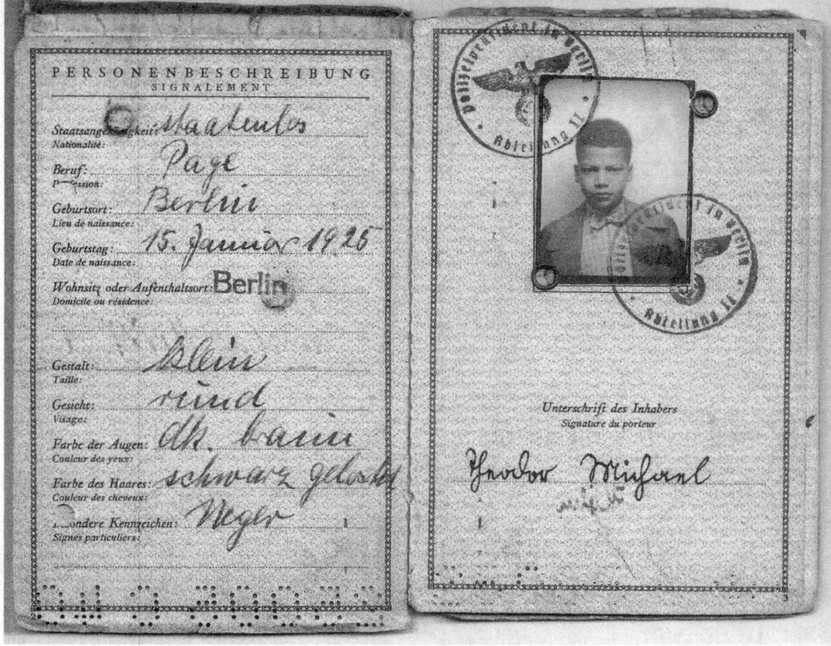

PERSONENBESCHREIBUNG
SIGNALEMENT

Staatsangehörigkeit: staatenlos
Nationalité:

Beruf: Page
Profession:

Geburtsort: Berlin
Lieu de naissance:

Geburtstag: 15. Januar 1925
Date de naissance:

Wohnsitz oder Aufenthaltsort: Berlin
Domicile ou résidence:

Gestalt: klein
Taille:

Gesicht: rund
Visage:

Farbe der Augen: dk. braun
Couleur des yeux:

Farbe des Haares: schwarz gelockt
Couleur des cheveux:

Besondere Kennzeichen: Neger
Signes particuliers:

Unterschrift des Inhabers
Signature du porteur
Theodor Michael

9
Innenseiten des Fremdenpasses (1940)

Größtes Hotel des Kontinents
Eigentümer: Curt Elschner
Tel.-Adr.: Excelsiorhotel Berlin

Fernsprecher für Ortsverkehr
Sammel-Nr. 195151
Für Fernverkehr
Sammel-Nr. 195231

HOTEL EXCELSIOR BERLIN

Berlin, den 11. Nov. 1940

Z e u g n i s

Der Page Theodor M i c h a e l , geb. am 15. Januar 1925 in Berlin, war vom 22. April 1940 bis zum 31. August 1940 in unserem Hause beschäftigt.
Theodor Michael war ein freundlicher, immer fleissiger und hilfsbereiter Page, der besonders bei den Gästen sehr beliebt gewesen ist.
Sein Ausscheiden aus dem Betriebe erfolgt im beiderseitigen Einverständnis und wünschen wir ihm für die Zukunft alles Gute.

Hotel Excelsior
Direktion
[Unterschrift]

10
Das Zeugnis des Hotel Excelsior (1940)

Hotel Alhambra
Jedes Zimmer mit Privatbad, Telefon, Radio

Restaurant Tusculum
Gaststätte allerersten Ranges

BERLIN W15, KURFÜRSTENDAMM 68

Telefon: Sammelnummer 32 39 41
Postscheckkonto: Berlin 178 50

Ihr Zeichen: Mein Zeichen: Datum:
14. 3. 1943

Z e u g n i s

Theodor M i c h a e l , geb. am 15. 1. 1925 war vom 28. 11. 1940 bis zum heutigen Tage als Telefonpage in meinem Hotel Alhambra beschäftigt.

Theodor Michael war stets pünktlich, ehrlich fleissig und aufmerksam. In der Hauptsache wurde ihm der Telefondienst übertragen, den er zu unserer vollsten Zufriedenheit erledigte. Er besitzt eine aussergewöhnlich leichte Auffassungsgabe, die es uns ermöglichte, ihn zeitweilig mit der Portiervertretung zu betrauen. Sein heutiger Austritt erfolgt in beiderseitigem Einverständnis im Zuge der kriegserforderlichen Anordnungen. Unsere besten Wünsche begleiten ihn für die Zukunft.

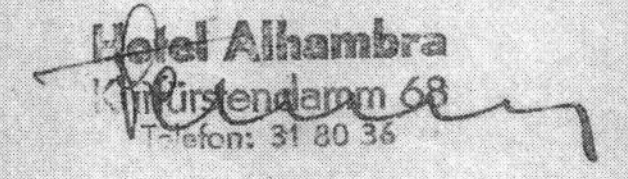

Teilbetrieb der Firma Willy Hein, Berlin-Charlottenburg 2, Fasanenstraße 11

D. C/0922

11
Das Zeugnis des Hotel Alhambra (1943)

12
Hochzeitsbild von Elfriede Franke und Theodor Michael (1947)

13
Elfriede und Theodor mit Roy (1948)

14
Juliana als Dompteuse

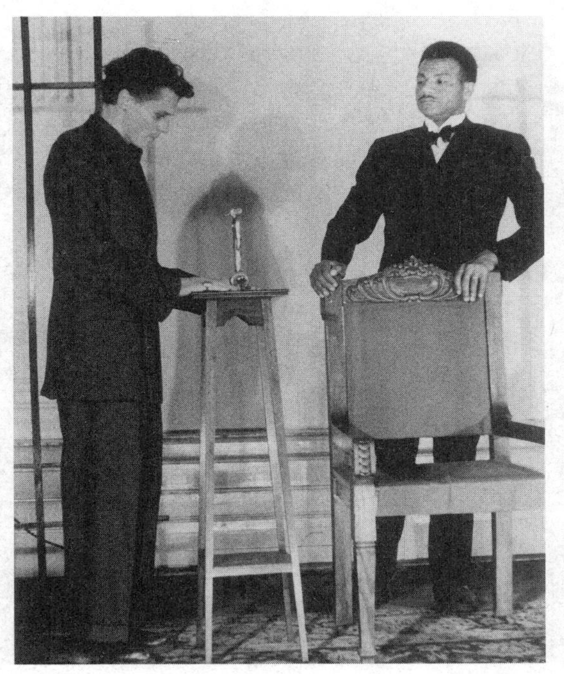

15
Auf der Bühne des Schauspiel-Studios in Gießen (1949, mit Friedhelm Straubel) in Jean-Paul Sartres ›Geschlossene Gesellschaft‹

16
Mit Fritz Rémond in dem Stück ›Towarisch‹ im Kleinen Theater am Zoo in Frankfurt (1951)

17
Bei den Ausgrabungen des römischen Lagerdorfs in Butzbach (1954)

18
Tochter Gabriele mit Juliana und James Michael

19
Mit Elfriede in Paris (1961)

20
Theodor Michael (1955)

21
Im Uhrzeigersinn: Theodor, Elfriede, Susan, Roy und Gabriele

22
Mit Peter Lühr im Fernsehspiel ›Süden‹ (1962)

23
Als Todd in John Galsworthys ›Herrenhaus‹ im Ernst-Deutsch-Theater in Hamburg (1992)

24
Empfang beim Botschafter von Kamerun, links Elfriede (1967)

25
Hochzeit mit Gertraud (1997)

26
Als Chauffeur Hoke in ›Miss Daisy und ihr Chauffeur‹ in Freiburg (ca. 1997)

27
Als Prospero in Shakespeares ›Sturm‹ (1998; Foto: Wismar)

28
Autogrammkarte (2000)

29

Als Daddy King mit Felicia Weathers und Ron Williams in Gerold Theobalts ›I Have a Dream‹; unten links Nisma Cherrat (2003; Fotos A. Zeppenfeld)

derkommen. Am Tor standen Posten, die genau kontrollierten, was man mitnahm. Fand ein Posten, dass es zu viel ist, nahm er es einem wieder ab.

Mir ist das nie passiert, aber einmal hatte ein Mann vor mir in der Reihe das Pech, dass man ihm einen Beutel abnahm. Als ich dran war, sah der kontrollierende Soldat auf meine dunklen Hände, mit denen ich den Sack aufhielt, blickte hoch, sah mir ins Gesicht, nahm den Beutel, den er kurz zuvor dem anderen Mann weggenommen hatte, und steckte ihn in meinen Kartoffelsack. Ich war schockiert und tief betroffen. Einem anderen wurde etwas weggenommen und mir gegeben! Als ich das Gelände verließ, hielt ich Ausschau nach dem Mann, aber bei dem Gedränge konnte ich ihn nicht mehr finden. Außerdem hatte ich ihn mir gar nicht richtig angesehen, sondern nur auf den Vorgang als solchen geachtet. Mit einem schlechten Gewissen ging ich nach Hause.

Lehrstunde in Sachen Demokratie

In dieser Zeit zwischen dem Ende des Kriegs in Europa und dem Ende des Kriegs in Asien hatte mich ein politischer Vorgang sehr verwundert. Im Juli/August 1945 fand in Potsdam die Konferenz der Siegermächte über die Durchführung der Beschlüsse von Jalta statt. Doch einer der Sieger, Winston Churchill, ein erbitterter Gegner des Dritten Reiches, nahm nur anfänglich daran teil. Danach wurde Großbritannien von Clement Attlee vertreten. Noch bevor der Krieg wirklich zu Ende war, hatte der Mann sein Amt verloren, der den Durchhaltewillen des Inselstaates verkörperte. Parallel zur Potsdamer Konferenz hatten in England Parlamentswahlen stattgefunden. Die Labour Party war als Wahlsieger hervorgegangen. Sie war bereits vorher Juniorpartner in der Koalitionsregierung von Premierminister Winston Churchill gewesen. Der Kriegslöwe, der so erbittert gekämpft hatte, wurde vom eigenen Volk gestürzt! Und was für mich noch weniger verständlich war: Er räumte tatsächlich ohne Protest das Feld.

Ich war bis dahin völlig unpolitisch gewesen und hatte keine Ahnung vom Wesen der Demokratie. Woher auch. In dem Moment ging mir ein Licht auf und ich fing an, den Sinn dieses politischen Systems zu verstehen: Allein durch die Entscheidung der Wähler kam ein Führungswechsel zustande. Und was ebenso wichtig war: Der Verlierer akzeptierte den Wählerwillen. Ich hatte damals den Eindruck, dass die Briten des Krieges absolut müde waren und Churchill deshalb abgewählt hatten, weil er den Krieg verkörperte.

Ich war schon einige Wochen bei Weihrauchs, da hörte ich, dass die Amerikaner in der Nähe von Chemnitz seien, und machte mich auf den Weg, zu Fuß und auf den Trittbrettern der Bahn, die teilweise wieder funktionierte. Tatsächlich stieß ich auf eine »weiße« amerikanische Einheit. Ich half in der Küche, wurde verpflegt und bekam sogar ein paar neue Schuhe. Bis dahin hatte ich immer noch die Stiefel in den zwei verschiedenen Größen getragen. Nun hatte ich ein Paar richtige Amistiefel aus dem Army-Bestand. Sie waren aus Leder und hatten dicke Gummisohlen! Ein paar Tage später rückte die Einheit nach Westen ab. Aber mitnehmen konnten sie mich nicht. Das verstoße gegen die Abmachungen von Jalta. Jeder sollte dort bleiben, wo er hingehörte. Aber wo gehörte ich hin? Ich müsse mich an dem Ort melden, an dem ich zuletzt gewohnt hatte. Dies hätte für mich aber geheißen, zurück nach Berlin! Das wollte ich auf keinen Fall. Zumal nach meinen Erfahrungen in Adlershorst.

Also suchte ich weiter nach einem Weg in den Westen. Zu Fuß, mit der Bahn, wie es kam. Etwa nach einer Woche erreichte ich Eisenach, das die Russen kurz vorher von den Amerikanern übernommen hatten. Die Zonengrenzen waren schon in praxi gezogen und Eisenach war die letzte Stadt vor Bebra, das bereits in der amerikanischen Zone lag. Ich meldete mich in einem Büro der Kommandantur. Ein netter russischer Unteroffizier füllte eine Karte aus mit Namen, Geburtsort und Nationalität. Da war sie wieder, diese Frage nach der Nationalität. Was war ich eigentlich? Ich überlegte. Meine Staatsangehörigkeit war mir gegen meinen Willen genommen worden. Eine andere hatte ich nicht. »Nemetzki«, also deutsch, stimmte nicht mehr und »staatenlos« war keine Nationalität, also was war ich? Der Unteroffizier sah mich fragend an. Ich müsse doch wohl wissen, welcher Nationalität ich sei. Also gab ich »afrikanitzki« an. Er schrieb etwas auf die Karte, das, was ich gesagt hatte, wie ich annahm, und gab sie mir, sowie eine Anschrift, wo ich mich melden sollte. Ich bekam auch noch ein paar Zigaretten mit auf den Weg.

Die Anschrift war offensichtlich ein früheres Fremdarbeiterlager, das in ein Durchgangslager verwandelt worden war. Ehemalige Kriegsgefangene und Fremdarbeiter aus dem Westen wurden gegen ebensolche aus dem Osten getauscht. Ich legte meine Karte vor und erhielt ein anderes Papier auf dem stand »amerikanitzki«. Wer nun »afrikanitzki« mit »amerikanitzki« vertauscht hatte, weiß ich nicht, der Soldat in der Kommandantur oder der im Lager. Die Karte war kyrillisch beschriftet. Auf jeden Fall war ich jetzt »amerikanitzki« und das hatte viele Vorzüge. Wie alle die Franzosen, Holländer, Belgier und Italiener, die auch noch in diesem Lager waren und auf ihren Austausch warteten, konnte ich ein und aus gehen, wie ich wollte. Für die große Mehrheit der Menschen aus dem späteren Ostblock galt das nicht. Sie waren in ihrer Bewegungsfreiheit stark eingeschränkt und durften das Lager nicht verlassen, es sei denn, sie hatten eine Sondergenehmigung. Bei diesen Menschen war die Stimmung eher gedrückt als fröhlich.

Es gab drei Mahlzeiten am Tag. Allerdings gab es immer dasselbe, »Kascha«, Buchweizengrütze, dick gekocht mit viel Fleisch. Ich wurde immer satt, aber nach dem dritten Tag schmeckte es mir nicht mehr und ich ging in die Stadt und tauschte auf dem Schwarzmarkt meine Zigaretten gegen etwas Essbares ein. Ich schlief alleine in einem großen Raum, in dem mehrere Doppelbetten standen. Es gab keine Matratzen oder Strohsäcke, aber eine nicht sehr saubere Decke zum Zudecken. Man konnte sie auch auf die Holzbretter des Bettes legen. Das zog ich vor. Schon in der ersten Nacht begegnete ich meinen alten Bekannten wieder. Überall waren Wanzen. Etliche hatten mich auch schon gebissen, ich hatte, vor allem an den Armen und Beinen, dicke Quaddeln. Ich rannte in den Waschraum, zog mich völlig aus und wusch mich von Kopf bis Fuß mit kaltem Wasser. Was anderes gab es nicht. Den Rest der Nacht und auch die folgenden vier verbrachte ich im Freien auf einer Bank vor der Baracke. Ich hatte mich schon gewundert, weil ich am Tag und in der Speisebaracke einige Westeuropäer gesehen hatte. Aber nachts waren alle verschwunden. Sie hatten sich in der Stadt irgendwie und irgendwo Nachtquartiere besorgt. Das konnte man gut nachvollziehen.

Niemand wusste, wann der nächste Transport über die nahe liegende Demarkationslinie gehen würde, alles wartete gespannt auf eine diesbezügliche Information. Es war offensichtlich die Politik der sowjetischen Rückführungsbehörde, die Westeuropäer erst dann über die Grenze zu lassen, wenn die andere Seite einen Gegenzug mit Osteuropäern auf den Weg gebracht hatte. Es hieß also, sich mit Geduld zu wappnen.

Die anderen Baracken, in denen – nach Nationalitäten getrennt – die Osteuropäer wohnten, waren überfüllt. In meiner Baracke waren hingegen nur eine Handvoll Leute untergebracht. Ich bekam sie kaum zu Gesicht, weil sie immer in der Stadt unterwegs waren. Im Nachbarzimmer war eine junge Frau, die eine amerikanische Leutnantsuniform trug, was mich sehr verwunderte. Ich sprach sie an und sie erzählte mir, sie sei eine russische Krankenschwester (oder Ärztin), die bei der Invasion der Alliierten aus einem Gefangenenlager befreit worden war und danach im amerikanischen Auftrag ebenfalls befreite russische Kriegsgefangene aus ehemaligen Lagern betreut hatte. Sie war zuletzt in einem Lazarett in Bebra tätig gewesen. Dort hatte sie ein Quartier außerhalb des Lazaretts. Eines Tages fuhr in einem sowjetischen Jeep ein russischer Offizier mit zwei Soldaten vor, sie drangen in ihr Zimmer ein, schnappten ihre Militärkiste und trugen sie nach draußen. Sie rannte hinterher, und bevor sie überhaupt reagieren konnte, saß sie auch schon in dem Jeep und landete kurze Zeit später in diesem Lager in Eisenach. Alles sei so schnell gegangen, dass sie niemand auf westlicher Seite mehr informieren konnte. Sie hatte eigentlich gar nicht die Absicht gehabt, nach Russland zurückzukehren und wusste nun nicht, was sie erwartete. Nichts Gutes vermutlich. Schließlich sei sie noch immer Angehörige der Roten Armee und unterstehe damit der sowjetischen Militärgesetzgebung. Sie tat mir sehr leid, aber ich war hilflos. Als ich ein paar Tage später in Bebra war, habe ich ihren Namen sofort an die amerikanische Militärbehörde weitergegeben. Ob die überhaupt etwas unternommen haben, weiß ich nicht, bezweifle es aber.

Endlich, am fünften Tag, erfuhr ich, es geht ein Transport nach Bebra. Plötzlich tauchten auch die Westeuropäer auf, die im Lager registriert waren und wie ich auf diese Nachricht gewartet hatten. Mit Lastautos ging es zum Bahnhof, wo ein Güterzug stand. Wir durften einsteigen. In nach Personen abgezählten Mengen wurden Brot und Wurst in die Wagen gereicht. Alle waren in gespannter Erwartung. Nach einer Weile setzte sich der Zug in Bewegung, hielt, fuhr weiter, hielt wieder. Es war in Hünfeld oder Herleshausen, als wir den Gegenzug sahen, aus dem uns fröhlich lachende Menschen zuwinkten. Sie ahnten nicht, was sie erwartete. Wir konnten nur sehr zurückhaltend zurückwinken.

Aber wir brachen in Jubel aus, als wir die Demarkationslinie endgültig überfuhren und vom französischen Roten Kreuz begrüßt wurden. Im Durchgangslager der UNRRA (United Nations Relief and Rehabilitation Administration, die Flüchtlingshilfsorganisation der Vereinten Nationen) in Bebra wurden als Erstes nach dem Duschen alle behaarten Körperteile mit DDT bepudert, bevor die Registrierung vorgenommen wurde. Mich schickte man nach Kassel-Oberzwehren. Da gab es einige amerikanische Staatsangehörige, die der Krieg in Deutschland überrascht hatte und die auf die Repatriierung in die USA warteten. Ich hatte ja immer noch mein russisches Dokument mit der Bezeichnung »amerikanitzki«. Dabei blieb es erst einmal. Ich machte mir Hoffnungen, dass ich damit aus diesem zerstörten, finsteren Land wegkam, meiner Heimat, die mich aber ausgespuckt hatte wie einen alten Kaugummi. Doch es kam anders.

Displaced Person

Das Lager Kassel-Oberzwehren stand unter der Verwaltung der US Armee. Jeder, der dort hinkam, wurde erst einmal »gescreent«. Man musste einen mehrsprachigen Fragebogen ausfüllen und jede Frage beantworten. Neben den Angaben über die Person wurde nach Anschriften in den letzten Jahren, nach Tätigkeiten und Mitgliedschaften gefragt. Auf diese Weise sollten vor allem Kollaborateure der Nazis gefasst werden. Mich schreckte dieses Papier nicht. Jeder, der mich ansah, so dachte ich, konnte zwei und zwei zusammenzählen und erkennen, dass ich mit meinem Aussehen weder Nazi noch Kollaborateur gewesen sein konnte.

An dem Tisch, vor dem ich stand, saßen ein junger amerikanischer Leutnant, der das Gesicht verzog, als er mich sah, und ein polnischer Übersetzer mit guten Deutschkenntnissen. Neben den allgemeinen Fragen auf dem Fragebogen sollte ich Auskunft darüber geben, was ich in der Nazizeit gemacht habe. Ich war verblüfft, hatte ich doch lückenlos meine Tätigkeiten seit der Schulentlassung angegeben. Darauf verwies ich. Man könne ja lesen, war die barsche Antwort, aber man wolle wissen, was ich wirklich gemacht habe, denn ich sei ja noch am Leben. »Nichts«, war meine Antwort. Das reichte aber meinen Inquisitoren nicht. Ich müsse aber doch irgendetwas gemacht haben, sonst wäre ich nicht davongekommen. Und wieder steckte ich in einer Zwickmühle. Sie war etwas anders als die, denen ich bereits entkommen war. Offensichtlich war es nun so, dass man mir dieses Entkommen zum Vorwurf machte. Ich hatte ja als Identifikationspapier immer noch meinen deutschen Fremdenpass, mit dem Hoheitszeichen auf dem Deckblatt, in dem als Geburtsort Berlin angegeben ist. Also sei ich ein Deutscher und die Kriterien eines DP (Displaced Person) träfen deshalb auf mich nicht zu. Mit der Staatsangehörigkeitsangabe »staatenlos« konnten weder der amerikanische Offizier noch der polnische Übersetzer etwas anfangen.

Man gab mir meine Papiere zurück und sagte mir, ich solle meine Sachen packen und sofort aus dem Lager verschwinden. Ein DP-

Hilfspolizist, ebenfalls ein Pole, wurde gerufen. Er sollte diesen Vorgang überwachen und mich zum Tor bringen. Das Erste, was er tat, als wir den Raum verlassen hatten, war, mir eine schallende Ohrfeige zu geben. Ich weiß bis heute nicht, warum. Ich reagierte auch gar nicht darauf, so schockiert war ich. Ich nahm es hin wie alles andere in meinem bisherigen Leben und nehme zu seinen Gunsten an, er wollte sich irgendwie und an irgendwem für ein früheres Unrecht rächen.

Ich holte meinen Kartoffelsack mit dem wenigen, das ich besaß, und tat, wie mir befohlen. Aber wo sollte ich hin? Unwillkürlich wandte ich mich dahin, wo sich viele Menschen aufhielten, zum Hauptbahnhof der völlig zerstörten Stadt Kassel. Dort traf ich ein paar schwarze Amerikaner, die trotz des »Fraternisierungsverbots« der US Army die Bekanntschaft von deutschen »Fräuleins« suchten, und kam mit ihnen ins Gespräch. Gespräch ist eigentlich zu viel gesagt, denn ich sprach keine drei Worte Englisch und sie natürlich kein Deutsch. Dennoch verstanden wir uns sofort. Es waren junge Männer in meinem Alter. Die merkten sofort, dass ich Hunger hatte, und so bekam ich gleich ein paar K-Rations, die in handliche kleine Päckchen verpackte Trockenration der US Army, in die Hand gedrückt. Seit Jahren hatte ich keine schwarzen Menschen mehr gesehen, und diese hier waren so ganz anders als meine Kameruner »Onkels«.

In einem abgestellten Eisenbahnwaggon fand ich einen Platz zum Schlafen, zusammen mit vielen anderen Flüchtlingen und Heimatlosen. Am nächsten Tag machte ich mich auf den Weg ins städtische Meldeamt. Wieder hieß es warten, warten, warten, stundenlang. Als ich endlich dran war und dem Beamten, der bestimmt bereits unter dem Kaiser gedient hatte, meine Lage schildern wollte, unterbrach er mich: »Sie sind erkennbar Ausländer, da sind wir gar nicht zuständig.« Ich legte meinen Fremdenpass vor und erklärte ihm, dass ich gestern im UNRRA-Lager abgewiesen worden sei.

Er schüttelte nur den Kopf und verwies auf eine Anweisung der amerikanischen Militärregierung, in der die deutschen Behörden ausdrücklich auf ihre Nichtzuständigkeit für Ausländer hingewiesen worden seien. Ich sollte mich an die Militärregierung wenden, er könne nichts, aber auch gar nichts für mich tun. Damit war ich auch schon wieder draußen und hatte seine Zeit bereits über Gebühr beansprucht. Das Erste, was ein Beamter macht, wenn er einen neuen Vorgang erhält, ist zu prüfen, ob er überhaupt dafür zuständig ist, und den Vorgang weiterzuleiten, wenn dies nicht zutrifft. So auch in diesem Fall. Ich wurde einfach wieder fortgeschickt. Es war nicht so einfach, im zerstörten Kassel die Adresse der zuständigen Stelle der Militärregierung herauszufinden. Als ich endlich vor der Tür stand, stieß ich auf einen deutschen Pförtner, der mit Sicherheit bereits an dieser Stelle gesessen hatte, als die Reichskriegsflagge noch über dem Gebäude wehte. Er teilte mir mit finsterem Gesicht mit, die Büros seien geschlossen, ich solle ein andermal wiederkommen.

Anfänglich hatte ich das Verhalten vieler weißer amerikanischer Soldaten überhaupt nicht verstanden. Während sie im Allgemeinen im Umgang mit der Bevölkerung trotz Fraternisierungsverbot ein durchaus freundliches Verhalten an den Tag legten, zeigten sie mir gegenüber oft offene Feindseligkeit. Nach und nach begriff ich, dass dies mit den Rassenproblemen in ihrem eigenen Land zu tun hatte. Weiße Amerikaner sahen die Afro-Amerikaner als zweitklassig an und übertrugen diese Einstellung auch auf ihr Besatzungsgebiet. Das ergab folgende Rechnung: »Deutsche = Nazis, aber weiß, schwarze Deutsche = doppelte Nazis und deshalb so zu behandeln wie zu Hause.«

Es blieb mir nichts anderes übrig als wieder zu den schwarzen Soldaten zu gehen. Bei ihnen fühlte ich mich sehr wohl. Ich habe mich in der Zeit bis zu ihrem Abzug sogar mit einigen von ihnen angefreundet. Sie waren sehr freundlich zu mir, brachten mir die ersten englischen Umgangswörter bei, gaben mir zu essen und ihre »Comics« zu lesen. Mithilfe dieser Comichefte habe ich Englisch gelernt. Später kamen dann noch die nicht synchronisierten amerikanischen Filme dazu. Tatsächlich lernte ich in zwei Jahren so gut Englisch sprechen und lesen, dass ich später als Dolmetscher und Übersetzer arbeiten konnte. Einige meiner neuen Freunde forderten mich auf, mit in die USA zu kommen, und gaben mir ihre Anschriften, bevor sie nach Bremerhaven zur Rückführung verlegt wurden.

Am nächsten Tag ging ich erneut zur örtlichen Militärregierung. Ich traf auf einen Captain, der deutsch sprach und der verständnislos den Kopf schüttelte, als ich ihm die Begründung meiner Ausweisung aus dem DP-Lager vortrug. Er rief seine Sekretärin herein und diktierte ihr einen Brief an die Lagerverwaltung, in der er meine Wiederaufnahme in das UNRRA-Lager verfügte. Die Lagerverwaltung war stocksauer. Mir war das ziemlich schnuppe, ein Dach über dem Kopf und täglich eine warme Mahlzeit waren mir nunmehr sicher. Ich wurde in dem Haus für amerikanische Staatsangehörige untergebracht, die aus irgendwelchen Gründen den Zweiten Weltkrieg in Deutschland verbracht hatten und auf ihre Repatriierung warteten. Bei der ersten gründlichen ärztlichen Untersuchung schüttelte der Arzt bedenklich den Kopf. »Du hast Flecken auf der Lunge«, sagte er und setzte hinzu, »da musst du bald etwas tun, sobald du in Amerika bist, ich kann hier leider nichts für dich tun.« Das kümmerte mich aber weniger, denn meine Magengeschwüre machten mir wieder zu schaffen.

Ich musste mir Bargeld verschaffen. Im Lager gab es wohl Unterkunft und Verpflegung, aber Geld konnte man keines verdienen. Ich hatte ja zudem keine Ausbildung irgendeiner Art. Aber Arbeitskräfte wurden immer gebraucht, und so kam ich in der Autowerkstatt des UNRRA-Lagers unter. Auch hier konnte ich nur Hilfsarbeiten leisten. Der Verdienst war mager und wurde in Reichsmark bzw. Besatzungsgeld ausgezahlt. Viel wert war das Geld nicht, und deshalb gingen viele DPs auf den Schwarzmarkt und verkauften alles Mögliche, vorrangig Zigaretten und Trockennahrung, die sie als Rationen entbehren konnten. Auch ich machte solche Geschäfte.

Nach und nach wurde das Lager Kassel-Oberzwehren geräumt. Viele wurden repatriiert. Alle Amerikaner jedoch, deren Status noch nicht geklärt war, wurden im Sommer 1946 nach Frankfurt-Niederrad verlegt, wo sie einquartiert wurden. Das betraf auch mich. Eine ganze Häuserzeile war als UNRRA-Lager beschlagnahmt worden. Sie lag nahe am damals bereits eingerichteten amerikanischen Konsulat, und das war für die auf ihre Heimkehr wartenden Amerikaner unter den DPs praktisch. Ich bekam einen Schlafplatz in einer Wohnung, in der noch eine Familie unterkam, die ebenfalls auf die Rückführung wartete, und suchte mir eine Arbeit bei einer schwarzen Einheit der US Army in Frankfurt-Bonames.

Eine folgenreiche Begegnung

Meine Magenbeschwerden wurden wieder einmal unerträglich. Der Lagerarzt wies mich wegen akuter Magendurchbruchsgefahr in die Universitätsklinik in Frankfurt Niederrad ein. Helfen konnte man mir dort letztlich auch nicht. Die Erkenntnis, dass diese Krankheit einen psychisch bedingten Hintergrund haben kann, war damals unter den Medizinern noch nicht weit verbreitet. Aber ich lernte jemanden kennen, eine Krankenschwester. Sie war jung und hübsch, frisch und fröhlich. Mit kleinen Grübchen in den Wangen, mittelblondem Haar, zu einem Zopf gebunden, mit einer hellen Strähne, die an der Stirn begann. Sie hatte strahlend blaue Augen und prächtige Zähne. Sie reichte mir gerade bis zur Schulter, war eher stämmig. Ich verliebte mich auf Anhieb. Ihr erging es offensichtlich genauso.

Elfriede Franke, genannt Friedel, kam aus Oberschlesien, wo ihr Vater, der aus Thüringen stammte, Bergmann im Kohlenrevier von Beuthen war. Er hatte sich zum Steiger hochgearbeitet. Als Oberschlesien polnisch wurde, hieß Beuthen Bytom, aber die Familie Franke wurde von den Polen nicht ausgewiesen. Man brauchte Fachleute wie Albert Franke, um die Kohlengruben weiter unterhalten zu können. Ein Bruder von Friedel war noch in russischer Kriegsgefangenschaft. Er wurde 1947 entlassen.

Friedel war von Beruf Krankenschwester. Als die Front im Osten näher rückte, wurde sie als Rote-Kreuz-Schwester auf einem Hauptverbandsplatz eingesetzt. In der Folgezeit wurden die Lazarette immer weiter ins Reich verlegt. Am 11. Februar 1945 kam sie mit einem Lazarettzug in Dresden an. Von dort wurden die verwundeten Soldaten unmittelbar weitertransportiert in einen kleinen Ort in der Nähe von Eisleben. Am 12. Februar fand der verheerende Bombenangriff auf Dresden statt, dem sie nur knapp entgangen war. Nach der Kapitulation der Wehrmacht übernahm die US Armee das Lazarett und erklärte alle Insassen einschließlich Ärzten und Pflegepersonal zu Kriegsgefangenen. Nach der Festlegung der Zonengrenzen sollte der Ort zur sowjetischen Zone gehören. Vor der Übergabe an die Russen verlegten die Amerikaner das gesamte Lazarett nach Bad Soden-Salmünster in die amerikanische Zone. Im Frühjahr 1946 wurde Friedel offiziell aus der amerikanischen Kriegsgefangenschaft entlassen und ging nach Frankfurt an die Universitätsklinik.

Wir kamen aus verschiedenen Welten und fanden uns in der deutschen Nachkriegsrealität wieder. Wir hatten kaum Kenntnisse und Erfahrungen, die uns auf das neue Leben vorbereitet hätten. Friedels Eltern waren unerreichbar weit weg in Oberschlesien, das jetzt zu Polen gehörte. Meine Eltern waren tot und die Geschwister irgendwo in Frankreich, sofern sie überhaupt noch am Leben waren. Wir waren wie zwei Kinder, die man in die Welt hinausgeschickt hatte, ohne sie darauf vorzubereiten, nach dem Motto: »Seht zu, wie ihr zurechtkommt.« Wir hatten kaum Geld, denn die Reichsmark war fast wertlos. Aber alle Menschen waren arm, damals in Deutschland. Unter solchen Umständen entsteht oft eine Solidarität, die in besseren Zeiten nicht mehr erreicht wird. Die ersten Sommer nach dem Kriegsende waren auch ausgesprochen schön oder kamen mir zumindest so vor. Als sollten wir für die vergangenen Jahre entschädigt werden. Dafür waren die Winter von 1946 bis 1948 sehr hart und brachten Hunger, Not und Elend für Millionen Menschen.

Aber wir waren frei, niemand kontrollierte uns und den ärgsten Hunger konnten wir mithilfe der UNRRA und des Schwarzmarkts stillen. Wann immer wir konnten, gingen wir tanzen oder ins Kino. In diesen Zeiten musste man im Winter erst einmal ein Kohlebrikett oder zwei Scheite Holz auftreiben, um überhaupt eine Eintrittskarte ins Kino zu bekommen.

Friedel wohnte im Schwesternhaus mit drei anderen Kolleginnen in einem Zimmer, viel Raum für Zweisamkeit gab es da nicht. Oft holte ich sie nach dem Dienst im Krankenhaus ab und wir gingen gemeinsam zu mir ins DP-Lager in Frankfurt-Niederrad. Dann brachte ich sie wieder zurück in ihr Quartier, worauf sie wiederum ein Stück mit mir zurückging und so spazierten wir oft hin und her und es war spät bzw. früh, bis wir endlich in unseren jeweiligen Unterkünften landeten. Wir redeten über Gott und die Welt, vor allem die Welt und ihre Probleme. Unsere Nöte waren dabei eher belanglos. Wir waren zusammen, liebten uns und das war die Hauptsache.

Bei einer solchen nächtlichen Heimkehr hörte ich einmal auf der Straße Lärm und Rufe in englischer und deutscher Sprache. Ich sah, wie mehrere schwarze amerikanische Soldaten deutsche Zivilisten verprügelten. Gerade wollte ich hinlaufen und mich einmischen, als die Sirenen der Militärpolizei, der MP, ertönten. Ich verdrückte mich ganz schnell in den Eingang eines Trümmerhauses. Mit der MP, die damals nur aus weißen Soldaten bestand, war nicht gut Kirschen essen, das wusste ich. Bevor sie Fragen stellten, schlugen sie erst einmal mit ihren Holzknüppeln zu. Ich hatte ja auch schon meine Erfahrungen mit ihnen gemacht. Deshalb ging ich ihnen lieber aus dem Weg.

Aber das Verhalten der amerikanischen Soldaten damals hat mich noch lange beschäftigt. Es war zu dieser Zeit – 1946 – eher ungewöhnlich. Selbstverständlich gab es nach wie vor den Rassehochmut aus der Nazizeit, der durch die amerikanische Besatzung und das Verhalten weißer Amerikaner gegenüber den schwarzen eher noch verstärkt wurde. Aber die schwarzen Soldaten waren bei der Bevölkerung nicht unbeliebt. Man suchte sogar den Kontakt, denn sie standen in dem Ruf, hilfsbereit und besonders gutmütig gegenüber Kindern zu sein. Ich habe darüber nachgedacht, ob diese schwarzen Soldaten, die da deutsche Zivilisten verprügelten, provoziert worden waren. Das war mir auch oft passiert. Die Leute dachten wohl auch, dass ich kein Deutsch verstehe. Oder wollten diese Soldaten einfach Rache nehmen für das, was ihnen weiße Menschen in ihrer Heimat antaten?

Mir ist und war ein solches Verhalten fremd. Ich habe kein Verständnis dafür. Aber während ich mich vorher immer weggeduckt hatte, wegsah, auf keinen Fall auffallen wollte, war ich bei diesem Anlass zum ersten Mal bereit, bewusst Stellung zu beziehen, einzugreifen. Bis ich doch wieder in meine alte Taktik zurückfiel. Es blieb bei dem Vorhaben. Ich habe mich noch lange dafür geschämt.

Ein Ausflug

Die Alpen haben mich fasziniert, seit wir in der Schweiz beim Zirkus Knie gastiert hatten. Damals sah ich immer hoch zu den schneebedeckten Gipfeln und hatte den dringenden Wunsch, einfach hinaufzulaufen, so weit ich konnte. Das war natürlich ausgeschlossen. Dann hätte ich ja meine Pflichten im Wohnwagen und in der Manege nicht erfüllen können. Auch als wir 1940 in den Isarauen südlich von München drehten, waren die Berge scheinbar so nah und ich sah immer wieder sehnsuchtsvoll zu ihnen hin.

Als man wieder mit der Eisenbahn fahren konnte, erfüllten Friedel und ich uns einen Wunsch. Noch war Reichsmark-Zeit und für die Fahrkarten galten die alten Fahrpreise. Wir packten amerikanische Zigaretten und Kaffee ein und fuhren los, nach Mittenwald in Oberbayern, am Fuß der Berge. Der Ort war nicht zerstört, aber mit Flüchtlingen vollgestopft, was das soziale Klima damals erheblich belastete. Aber mit unseren Schwarzmarktgütern fanden wir relativ schnell ein privates Quartier. Friedel hatte Reisemarken gesammelt und wir bekamen in den Restaurants auch immer etwas zu essen. Uns ging es prächtig. Wir liehen uns Skier aus und lernten Skifahren, wir unternahmen ausgedehnte Spaziergänge und Wanderungen. Abends, beim alkoholfreien »Heißgetränk« führten wir lange Gespräche mit anderen jungen Menschen. Vor allem gingen wir tanzen, wo immer im Ort oder Umgebung Tanz angeboten wurde. Unser Lebenshunger war damals unbeschreiblich.

Eines Tages besuchten wir eine Tanzveranstaltung, zu der praktisch der ganze Ort strömte. So auch die amerikanischen Soldaten, die in Mittenwald stationiert waren und die Grenze nach Österreich überwachten. Die Militärregierung hatte solche Aufgaben ausschließlich »weißen« Einheiten übertragen. Damals herrschte in der amerikanischen Armee noch Rassentrennung. Sie wurde erst nach Ausbruch des Koreakrieges von US-Präsident Harry S. Truman – gegen den Willen der führenden Militärs – abgeschafft. Friedel und ich tanzten gerade, als zwei amerikanische Militärpolizisten auf uns zukamen und mich zum Ausgang drängten. Ich protestierte lautstark. Es war nicht das erste Mal, dass Militärpolizisten mich kontrollierten. Nach einer flüchtigen Ausweiskontrolle machten die beiden mir unmissverständlich klar, dass ich hier nichts zu suchen hätte und ganz schnell verschwinden solle. Sonst …! Dabei drehten sie ihre Holzknüppel in den Händen.

In dem Moment wurde mir blitzartig bewusst, dass ich in diesem Saal der einzige Mensch mit dunkler Hautfarbe war und dass die beiden Militärpolizisten deshalb Streit mit mir suchten. Dass ich kein Soldat war, wussten sie ja nach der Ausweiskontrolle. Inzwischen waren andere Besucher der Veranstaltung auf uns aufmerksam geworden. Deshalb wagten es die Militärpolizisten offenbar nicht, mich körperlich anzugehen. Aber niemand der Zuschauer mischte sich ein. Man sah das wohl als eine »inner-amerikanische Angelegenheit« an. Da hielt man sich besser raus. Der Obrigkeit hatte man zu gehorchen, und zu dem Zeitpunkt war die Obrigkeit eben nun mal amerikanisch.

Friedel war uns gefolgt und drängte mich zu gehen. Sie kannte mich und befürchtete eine Eskalation, bei der ich zweifellos den Kürzeren gezogen hätte. Für mich bedeutete dieser Vorfall erneut eine tiefe Kränkung. Denn er zeigte, wie schlecht es mit den Menschenrechten auch nach dem Ende des Dritten Reiches bestellt war, wenn man nicht der weißen Rasse zugeordnet werden konnte.

Eine neue Familie

Eines Tages eröffnete mir Friedel, dass sie schwanger war. Wir hatten keine Wohnung, kein Geld, wir hatten einen völlig unterschiedlichen sozialen Hintergrund, wir hatten unterschiedliche Ziele. Ich wollte eigentlich auf jeden Fall weg, ins Ausland, vorzugsweise in die USA. Sie wollte eigentlich zurück in ihre Heimat Oberschlesien zu ihrer Familie. Aber zwei Dinge hatten wir gemeinsam, unsere Liebe und eine preußische Grundeinstellung. Wir mussten unsere Ziele nun aufgeben und eine gemeinsame Familie gründen.

Damals war es noch Ehrensache, zu heiraten, sobald ein Kind unterwegs war. Es war aber auch üblich, erst dann an Familiengründung zu denken, wenn die wirtschaftlichen Grundlagen dafür vorhanden waren. Und das waren sie bei uns nicht. Friedel hatte den Status eines »Flüchtlings« und ihren Beruf als Krankenschwester, aber sonst nichts. Ich hatte noch weniger. Wir waren beide arm wie die bekannten Kirchenmäuse. Aber wir waren jung und unbekümmert und gingen diese neue Herausforderung, eine Familie zu gründen, optimistisch an, ohne uns wirklich im Klaren darüber zu sein, was da auf uns zukam.

Mir fiel es gar nicht so schwer, meine Hoffnungen auf eine Zukunft in den USA aufzugeben, nachdem ich nun doch einiges über die Behandlung schwarzer Menschen in diesem Land mitbekommen hatte. Und ich konnte mir schon gar nicht vorstellen, dass wir als schwarz-weißes, als sogenanntes gemischtrassiges Ehepaar den Problemen, die uns in den USA der Vierzigerjahre des vergangenen Jahrhunderts erwartet hätten, gewachsen gewesen wären.

Da war es besser, sich den bekannten und vertrauten Problemen in der schwierigen, aber dennoch geliebten Heimat zu stellen. Ich legte meine Auswanderungspläne ad acta, auch wenn ich noch Jahre sozusagen einen symbolisch gepackten Koffer in der Ecke stehen hatte. Auch Friedel gab den Plan einer Rückkehr nach Schlesien auf. Ihre Heimat war ja nun polnisch geworden, und es war auch schon aufgrund der politischen Lage nicht möglich.

Wir freuten uns auf das »Jör«, wie wir das Kind, das da kommen sollte, spaßhaft nannten, abgeleitet aus der Berliner Bezeichnung »Göre« für Kind. Wir hofften, es würde ein Junge werden. Am 17. Juni 1947 heirateten wir standesamtlich in Bad Arolsen, wo ich einen Schnellkurs der UNRRA in Automechanik absolvierte. Friedel wollte auch eine kirchliche Trauung. Sie war katholisch. Dazu kam es aber nicht. Der zuständige katholische Pfarrer verlangte von mir eine bindende Erklärung, dass die Kinder aus unserer Ehe katholisch getauft und erzogen werden würden. Darauf hatten Friedel und ich uns eigentlich schon vorher verständigt. Aber dieser Pfarrer, dem weder meine protestantische Einstellung noch meine afrikanische Nase gefielen, drang derart inquisitorisch auf uns ein und bestand so entschieden auf »Entweder – Oder«, dass wir uns für das »Oder« entschieden. Der christliche Glaube hatte in unserer Ehe immer einen sehr hohen Stellenwert, war aber nie ein Anlass zu Streit oder Differenzen. Das wurde uns nur von außen aufgedrängt, zum Beispiel, als wir später die Kinder zur Taufe anmeldeten und die fehlende kirchliche Trauungsurkunde einige Irritationen bei den jeweiligen Pfarrern auslöste.

Schon seit dem Winter 1946 hatten sich Menge und Qualität der Verpflegung in den Lagern rapide verschlechtert. Trotzdem war sie immer noch besser als für die deutsche Bevölkerung. Im Sommer 1947 stellte die UNRRA ihre Tätigkeit ein. Die noch verbliebenen DPs wurden von der IRO (International Refugee Organization) übernommen, die 1946 als Nachfolgeorganisation der UNRRA und Sonderorganisation der Vereinten Nationen gegründet worden war. Die meisten Lager wurden nun aufgelöst und zu größeren Komplexen zusammengefasst. So auch das Lager Frankfurt-Niederrad. Ich kam mit einigen anderen »ungeklärten« Fällen in das oberhessische Butzbach.

Die Zahl der Menschen, die in diesem Jahr in die Westzonen Deutschlands flüchteten, stieg durch russische und polnische Juden, die in ihrer alten Heimat Pogromen ausgesetzt waren, erneut an. Die meisten wanderten nach kurzem Aufenthalt in den IRO-Lagern nach Israel aus. Es gab aber noch andere Zielländer, die Anwerbekommissionen in die Lager schickten und Leute anwarben.

Belgien suchte Bergleute, Australien und Südafrika europäische Bauernfamilien, Kanada kräftige, junge, ledige Männer als Holzfäller. Sogar eine Kommission aus Venezuela kam und suchte junge Europäer mit und ohne Ausbildung. Auch sie fanden Leute, die bereit waren, das öde Leben im Lager gegen eine ungewisse Zukunft in der Fremde einzutauschen. Nur Menschen wie mich suchte und brauchte niemand.

Bis sechs Wochen vor ihrer Niederkunft arbeitete Friedel noch in der Uniklinik in Frankfurt und wohnte auch dort. Nun mussten wir ein neues Quartier für sie suchen. Mit Mühe und Not wurde Friedel als »Flüchtling« ein kleines Zimmer – es war eigentlich nur eine Kammer – in einem alten Gasthof in Butzbach zugewiesen, wo ich mich dann auch meistens aufhielt. Ich arbeitete inzwischen in der Verwaltung des Lagers und war für die YMCA, die Young Men's Christian Association, im Sport tätig. Der deutsche Ableger hieß früher Christlicher Verein junger Männer CVJM. Heute ist es der Christliche Verein junger Menschen.

Kurz nach Kriegsende hatte ich zunächst versucht, wieder Leichtathletik zu betreiben. Aber ich konnte nie mehr an meine früheren Leistungen im 100- und 200-Meter-Lauf anknüpfen. Daher gab ich die Leichtathletik auf und konzentrierte mich auf den Boxsport und Mannschaftssportarten wie Fußball, Basketball, Volleyball. Gerade das Boxen hat erheblich zu meiner persönlichen Entwicklung beigetragen, nicht nur körperlich, sondern auch im Hinblick auf mein Selbstbewusstsein. Man konnte mich nun nicht mehr so leicht herumschubsen wie früher. Ich konnte mich auch bei körperlichen Attacken wehren. Im Lager organisierte ich unter den DPs Sportgemeinschaften, die zu nationalen Wettkämpfen antraten, z. B. eine polnische Fußballmannschaft gegen eine jugoslawische. Oder Litauer gegen Letten und Ähnliches.

Im November 1947 wurde Roy-Peter, unser erster Sohn, im Krankenhaus von Bad Nauheim geboren. In Butzbach gab es damals noch keine eigene Klinik. Das Weihnachtsfest 1947 werde ich nie vergessen. Am Heiligabend saßen wir beide mit unserem Neugeborenen, der in einem zum Kinderbett umfunktionierten Wäschekorb lag, in Friedels kleiner Kammer. Einen Tannenbaum hatten wir nicht, aber einen Tannenzweig mit einer einzelnen Kerze. Es war mir gelungen, für 150 Reichsmark ein paar Hausschuhe aus Filz für Friedel aufzutreiben, und sie beglückte mich mit einem Rasierapparat und den dazugehörigen Klingen. Sie hatte aus Roggenmehl ein paar Plätzchen gebacken, denen wir nur dank unserer damals noch guten Zähne gewachsen waren. Wir sangen Weihnachtslieder, dachten an unsere fernen Verwandten, weinten und lachten und waren ganz fröhlich in unserer bescheidenen Dreisamkeit.

Die zweite Hälfte der Vierziger- und die darauf folgenden ersten Fünfzigerjahre waren für mich wichtige Lehr- und Lesejahre. Ich lernte mit Kränkungen und Diskriminierungen umzugehen und mich nach meinen Erfahrungen aus der Zeit der Verfolgung den jeweiligen Bedingungen anzupassen, ohne dabei angepasst zu werden.

Nach wie vor las ich alles, was gedruckt war, ohne es besonders zu bewerten. Diese Maßstäbe entwickelte ich erst später. Ich las, wann und wo immer ich konnte. Ich hatte immer irgendwelche Bücher in der Tasche, vor allem waren es die meiner Generation unbekannten Franzosen und Amerikaner, wie Sartre, Camus, Gide, Maurios, Wilder, Williams, Faulkner, O'Neill sowie die Afro-Amerikaner Wright, Hughes und Booker T. Washington. Mein Wissensdurst war kaum zu stillen. Ich habe jeweils Stunden in der Bibliothek des Amerika-Hauses in Gießen zugebracht. Dort fand ich u. a. ein Buch des schwedischen Politikwissenschaftlers Gunnar Myrdal, ›An American Dilemma‹. Mit dem Untertitel ›The Negro Problem and Modern Democracy‹. Ich brachte es in Gießen nicht zu Ende, sondern erst später, aber schon damals half das Buch mir, die Situation der afro-amerikanischen Bevölkerung in den USA zu begreifen, und bestärkte mich in meiner Entscheidung, doch nicht in dieses Land auszuwandern.

Butzbach

Auch auf Butzbach, unseren neuen, eher unfreiwilligen Wohnort, waren im Zweiten Weltkrieg ein paar Bomben gefallen, die den Bahnhof und einige Häuser in der Altstadt zerstört hatten. Es gab dort eine Kaserne, das Solmser Schloss, ehemals im Besitz der Grafen von Solms-Lich, das die US Army bis 1990 nutzte. Zu meiner Zeit gab es noch zwei Schuhfabriken, eine Konservenfabrik sowie einige kleine Handwerksbetriebe, die den Menschen in der Stadt und im Umland Arbeit und Brot gaben. Heute gehört die Gemeinde zum Einzugsbereich von Frankfurt. Damals war sie eine der typischen oberhessischen Kleinstädte mit beschaulichem und Neuerungen eher abgeneigtem Charakter. Es gibt sogar einen Roman von Ernst Gläser über den Ort mit dem Titel ›1902‹, in dem diese eigene geistige und soziale Atmosphäre sehr treffend beschrieben wird. Er war 1902 in Butzbach geboren worden. Aber auch Butzbach hatte sich nach Kriegsende neuen Entwicklungen und Auffassungen zu stellen, die oft gar nicht zu den Ansichten und Gewohnheiten der Alteingesessenen passten. Flüchtlinge, Vertriebene sowie die Truppen der Besatzungsmacht gaben der alten Stadt langsam, aber stetig ein neues Gesicht.

Butzbach liegt in der Wetterau, am Ostrand des Taunusgebirges. Urkundlich wurde es das erste Mal 773 im Karolingischen Kodex erwähnt. In der ›Topographia Hassiae‹ von Matthäus Merian gibt es einen Stich und eine Stadtbeschreibung aus dem Jahr 1646. In dieser Stadtbeschreibung wird auf eine »Heuneburg« hingewiesen. Darüber heißt es: »Naher der Statt/ an der Landstrassen nach(er) Gießen ist ein Ort die Heuneburg genannt/Da sich funden haben alt Gemäuer und Müntze. Man vermeynet/ die Hunnen/so sampt ihrem Obristen Attila schier gantz Europam veroset (verödet bzw. verwüstet)/hätten allhier einen festen Ort erbawet ...« In Wirklichkeit handelte es sich aber um ein römisches Kastell mit einem Lagerdorf, das unmittelbar an der Grenze zum Osten, zum nichtrömischen Chattia/Hessen, nicht unbedeutend gewesen sein dürfte. Der Limes führte hier vorbei. Kastell und Lagerdorf wurden in der zweiten Hälfte des dritten nachchristlichen Jahrhunderts von den Römern aufgegeben, wahrscheinlich wegen der vermehrten Einfälle der Germanen. Die Existenz des römischen Kastells auf der Gemarkung »Hunnenburg« war seit Anfang des 20. Jahrhunderts nachgewiesen, die archäologischen Spuren für das Lagerdorf fand man erst 1953, als auf einem bisher landwirtschaftlich genutzten Gebiet eine Siedlung für die Angehörigen der in Butzbach und in der Nähe stationierten amerikanischen Soldaten gebaut wurde.

Die Römer hatten dort Truppen der 22. Legion stationiert. Wie der Zufall es wollte, stationierte hier nun die US Army das 22. Infantry Regiment. Auch die Truppen-Insignien und die Wahlsprüche waren erstaunlich ähnlich. Dieser Zufall beschäftigte damals sowohl die deutsche als auch die amerikanische Presse sehr. Die führenden Offiziere des 22. Infantry Regiments unterstützten die Ausgrabungen des Amtes für Bodendenkmalpflege in Darmstadt, das für Butzbach zuständig war, in jeder Weise. Vor allem mit technischem Gerät und Lkws zum Abtransport der Bodenfunde. Aufhalten ließen sich die Bauarbeiten allerdings nicht. Das war von »höherer Stelle« festgelegt worden. Die Folge des Zeitmangels waren Notgrabungen, bei denen man praktisch immer vor den Baumaschinen her arbeitete.

Zu dem Zeitpunkt war ich gerade wieder mal arbeitslos und meldete mich zur unentgeltlichen Mitarbeit. Dieses Angebot griff man sehr gerne auf. Später stellte mich das Land Hessen sogar für fast ein Jahr fest an, zur Weiterarbeit bei den Ausgrabungen in Butzbach. Für mich war es wie eine neue Lehrzeit. Ich lernte Stratigrafie und Bodenprofile zu lesen, Gruben von natürlichen Vertiefungen zu unterscheiden und Keramikscherben einzuordnen. Ich lernte aber auch, mit Theodolit und der Messlatte, Fundstellen zu vermessen, sie geografisch festzuhalten und zu kartografieren. Daneben las ich alles, was für mich über die Archäologie und besonders über römische Geschichte erreichbar war. Ich hatte mich in einer relativ kurzen Zeit in die praktische Seite der Archäologie eingearbeitet. Mühelos hätte ich bei einer anderen Grabung weiterarbeiten können. Doch ich hatte keinerlei dokumentierte Qualifikation. Es gab damals viele promovierte Archäologen, die arbeitslos waren. Ich hatte keine Chance.

Kleinere und größere Katastrophen

Die ersten Monate des Jahres 1948 waren außergewöhnlich kalt. In Friedels Dachkammer gab es einen winzigen Herd, den wir möglichst ständig in Betrieb hielten. Wenn er ausging, verwandelte sich das Zimmer in einen Kühlschrank. Es gab kein fließendes Wasser. Frisches Wasser musste von der Pumpe im Hof nach oben und das gebrauchte Wasser wieder nach unten geschleppt werden. Aber das kannte ich ja gut aus meiner Zeit beim Zirkus.

Die Menschen in Deutschland hungerten. Die Rationen wurden gekürzt und selbst das, was einem nach den Lebensmittelkarten zustand, bekam man nicht, weil der Kaufmann behauptete, er habe nichts von der Zuteilungsstelle bekommen. Der Schwarzmarkt blühte. Friedel hatte ein besonderes Talent, sich auf diesem Terrain zu bewegen. Da ich noch immer im Lager meine Trockenrationen und Zigaretten zugeteilt bekam – allerdings nur noch türkische und keine amerikanischen mehr – sowie Kernseife, hatten wir etwas zum Tauschen.

Wir packten unseren Sohn in einen alten Kinderwagen, zogen in die umliegenden Dörfer und versuchten, Zigaretten und Seife gegen Lebensmittel einzutauschen. Meistens bekamen wir zu hören: »We hun naut, we gewwe naut, we wolln naut hun« (Wir haben nichts, wir geben nichts, wir wollen nichts haben), aber letztlich brachten wir immer etwas von einer solchen Tour mit. Kartoffeln, Äpfel, ein Glas Rübenkraut oder ein paar Eier. Für mich war diese Zeit eine Fortsetzung der Hungerjahre im Krieg. Aber wir taten alles, damit unser Sohn wenigstens gedeihen konnte, und das tat er denn auch.

Einmal hatte Friedel beim Kaufmann die Monatsration der Fettmarken für eine Flasche Öl eingetauscht. Margarine war nicht zu bekommen und Butter gab es ohnehin so gut wie gar nicht mehr. Sie war sehr froh darüber und stellte die kostbare Flasche unten in die alte Kommode, in der praktisch der gesamte Haushalt untergebracht war. Unser sich prächtig entwickelnder Sohn kroch und spielte auf dem Fußboden herum. Die Türen der Kommode waren gerade mal wieder offen und die Sachen darin erregten seine Aufmerksamkeit. Schwuppdiwupp hatte er die Flasche mit Öl erwischt, der Korken leistete keinen Widerstand und der kleine Kerl freute sich unbändig darüber, wie dieses wunderbar golden aussehende Zeug sich auf dem alten Holzfußboden ausbreitete und in den breiten Ritzen zwischen den Dielen verschwand. Friedel war gerade mit anderen Dingen beschäftigt, und als sie das Malheur bemerkte, war die Flasche leer. Als ich am Abend nach Hause kam, fand ich sie völlig aufgelöst vor. Die gesamte Fettration für eine Familie für einen Monat war futsch! Aber wir haben es überlebt.

Eines Tages im Frühjahr 1948 – ich lebte offiziell noch immer im DP-Lager – musste ich wegen einer belanglosen Sache zum Arzt. Es war noch immer der junge polnische Arzt, der damals die Flecken auf meiner Lunge festgestellt hatte. Er wartete auf seine Einreisegenehmigung in die USA. Er fragte mich nach meinem allgemeinen Gesundheitszustand, den ich nur als gut bezeichnen konnte. Die Magengeschwüre hatten sich – zu meiner Genugtuung – zurückgebildet und ich fühlte mich ausgesprochen wohl. Ob wir nicht mal wieder röntgen sollten, meinte er. Ich stimmte zu. Das Resultat war niederschmetternd. Ich müsse sofort ins Sanatorium, die Flecken auf der Lunge seien größer geworden und es müsse etwas unternommen werden. Ich war wie vor den Kopf geschlagen. Meine kleine Familie unversorgt und ohne Finanzmittel alleine zu lassen, das konnte ich doch nicht. Der Arzt bestand darauf, dass ich mich auf der Stelle in das DP-Sanatorium Merxhausen im Waldecker Land begab. Er werde mich sofort dort anmelden. Friedel und ich überlegten lange hin und her. Dann kamen wir zu dem Schluss, dass ich wohl oder übel ins Sanatorium musste und die vorhandenen Mittel an Reichsmark sogar ausreichen könnten, bis ich wiederkam.

Das DP-Sanatorium Merxhausen war gar nicht einfach zu erreichen. Es lag inmitten von wunderschönen nordhessischen Wäldern. Ich musste zweimal umsteigen und dann noch mit dem Bus fahren, um dorthin zu gelangen. Es war 1945 von den Amerikanern in einer ehemaligen psychiatrischen Klinik eingerichtet worden. Nun waren dort mehrheitlich Menschen aus dem sowjetischen

Machtbereich untergebracht, die nicht mehr in ihre Heimat wollten bzw. konnten. Ich teilte mit einem Franzosen ein Zweibettzimmer. Ich vermutete, er war noch hier, weil er in seiner Heimat Probleme wegen Kollaboration mit den Deutschen zu befürchten hatte. Wir haben aber nie darüber gesprochen.

Medikamente gegen die Tuberkulose gab es damals noch keine. So bestand die Therapie vorwiegend aus gutem Essen und Liegekuren. Ich konnte die Ruhe und die Schönheit der Landschaft nicht genießen, denn ich machte mir große Sorgen um Frau und Sohn. Und dann kam auch noch die Währungsreform.

Im März hatten die drei Westalliierten ihre jeweiligen Besatzungszonen in einen Wirtschaftsraum zusammengefasst, der im Volksmund »Trizone« genannt wurde. Am Sonntag, den 20. Juni 1948, wurde in diesem Wirtschaftsraum die Währungsreform durchgeführt. Man hatte schon lange damit gerechnet, denn der Wert der Reichsmark sank stetig, eine Entwicklung, die durch die Zuführung von Besatzungsgeld noch verstärkt wurde. Aber dann kam die neue Währung doch ziemlich plötzlich, ohne Ankündigung und Vorwarnung. Der Schnitt war scharf, kurz und für alle schmerzhaft. Nur 60 Mark der neuen Währung wurden pro Person eingetauscht. An diesem Sonntag wurden 40 DM ausgezahlt und ein paar Wochen später die restlichen zwanzig. Die Reichsmark wurde praktisch ungültig. Löhne und Preise liefen ab Montag, den 21. Juni, nur noch über die neue Währung. Alle Reichsmark-Schulden verfielen und durften von Gläubigern nicht mehr eingefordert werden.

Aus heutiger Sicht und nach den Erfahrungen bei der Wiedervereinigung 1989/90 war die damalige Entscheidung der Alliierten, diesen Schritt ohne deutsche Beteiligung oder Mitarbeit im Vorfeld vorzunehmen, richtig. Es gab keinen ernsthaften Widerstand gegen das Handeln der Alliierten. Er wäre auch zwecklos gewesen. Das Echo aus den noch im Aufbau befindlichen politischen Parteien war zurückhaltend. Nur die darauffolgende Entscheidung der Trizonen-Verwaltung, die Rationierungen sowie die Preise bis auf die Grundnahrungsmittel frei zu geben, stieß auf Widerstand und löste heftige politische Diskussionen aus. Obgleich die Westalliierten durch den harten Schnitt und die Gleichbehandlung aller Personen eine relative Gleichheit erzielt hatten – alle Deutschen waren für einen Moment gleich arm –, hatten »Besitzende« doch Vorteile. Ladenbesitzer hatten plötzlich wieder Ware, Fabrikanten öffneten ihre geheimen Lager, Bauern verkauften ihre Produkte, Vermieter erhoben ihre Mieten in der neuen Währung, und nach und nach bewegte sich die Wirtschaft, bis sich Mitte der Fünfzigerjahre das sogenannte Wirtschaftswunder entwickelte.

Eine Stellung bei der US Army

Die Währungsreform erwischte mich und meine kleine Familie kalt. Uns wurde plötzlich der Boden unter den Füßen fortgezogen. Es gab keinen Schwarzmarkt mehr, der bisher das Auskommen für uns drei gesichert hatte. Es gab überhaupt kein Auskommen mehr. Unsere Rechnung, dass die paar hundert Reichsmark, die wir hatten, zusammen mit der amtlich verordneten Grundversorgung, für Friedel und Roy-Peter einigermaßen ausreichen würden, bis ich wiederhergestellt war und aus dem Sanatorium entlassen wurde, löste sich in Luft auf. Das Geld war nichts mehr wert.

Es kam, wie es kommen musste: Ich ließ mich auf eigenen Wunsch und in eigener Verantwortung aus dem Sanatorium entlassen, schied aus der IRO-Versorgung aus und suchte mir eine Arbeit, die DM einbrachte. Für mich gab es nur eine Möglichkeit. Ich musste irgendwo bei einer Dienststelle der US Army unterkommen. Nach langem Suchen fand ich eine Stelle als Dolmetscher und Übersetzer beim CIC (Counter Intelligence Corps) in Gießen. Das war eine amerikanische Militärbehörde, die während des Zweiten Weltkriegs gegründet worden war und die US-Einheiten vor Spionage, Sabotage und Subversion schützen sollte. Außerdem hatte sie die Aufgabe, feindliche Nachrichtendienste aufzustöbern und unschädlich zu machen. In der US-Besatzungszone Deutschlands sollte sie in der unmittelbaren Nachkriegszeit den sogenannten »Werwolf« jagen, eine nazistische Widerstandsorganisation, die viel von sich reden machte, obwohl es sie, wie die berühmt-berüchtigte Alpenfestung, de facto eigentlich gar nicht gab.

Ich war also ab Herbst 1948 bei der 66th CIC Group in Gießen als Dolmetscher angestellt und fuhr jeden Tag mit der Bahn dorthin. Zu einer Dienststelle, in der es relativ wenig zu tun gab. Sie wurde von einem Captain geleitet, alle anderen Soldaten waren Sergeanten. Alle trugen auch im Dienst Zivil. Es war eine ausgesprochen angenehme Arbeit. Die meisten der Mitarbeiter sprachen wenig oder gar kein Deutsch, und so fielen mir und einem anderen deutschen Kollegen die Übersetzungsaufgaben zu. Damals gab es noch die Samstagsarbeit, und die Wochenregelarbeitszeit waren 48 Stunden. Ich verdiente im Monat brutto 231 DM, davon wurden die Sozialabgaben, aber auch ein tägliches warmes Mittagessen in der Kantine für das einheimische Personal der US-Streitkräfte in Gießen, abgezogen. Ausgezahlt wurden ca. 190 DM. Damit konnte man auch damals keine Reichtümer anhäufen.

Ich war sehr froh, dass ich überhaupt eine Arbeit gefunden hatte, aber wir mussten auch sehr haushalten mit unserem Geld. Glücklicherweise war Friedel eine Meisterin darin. Wir drängten auf dem Wohnungsamt auf die Zuweisung einer anderen Wohnung, denn nach wie vor lebten wir in ihrem kleinen Zimmer in dem alten Gasthof. Es war für drei Personen einfach zu klein. Unser Sohn wuchs heran, und zudem kündigte sich ein zweites Kind an.

Im Juli 1949 wurde unsere Tochter Gabriele geboren, ein Wunschkind, denn wir wollten ja ein Pärchen. Als ich Friedel im Krankenhaus zum ersten Mal besuchte, fand ich eine fröhlich lachende Mutter vor. Das Kind lag am Fußende des Bettes und quietschte leise vor sich hin. Gabriele war ein lebhaftes Kind, die unser bisheriges Leben völlig durcheinanderbrachte und später Tag und Nacht die besondere Aufmerksamkeit beider Elternteile beanspruchte.

Begegnung mit »Landsleuten«

Es war kurz nach der Geburt von Gabriele, und Friedel lag noch im Krankenhaus in Bad Nauheim, als der Zirkus Althoff für ein paar Tage nach Butzbach kam. Natürlich ging ich mit Roy, der schon richtig laufen konnte, in die Nachmittagsvorstellung. Es war der erste Zirkus, den ich nach dem Krieg besuchte.

Zum Programm gehörte auch eine Trapezkünstler-Attraktion. »Die Burketts« hieß die Truppe. Ich kannte sie bis dahin nicht. Es waren erkennbar »Landsleute« und sie boten eine hervorragende Vorstellung. Ich war begeistert und beschloss, die Artisten nach dem Ende der Vorstellung mit Roy in ihrem Wohnwagen zu besuchen. Ich stellte mich vor, und wir wurden herzlich begrüßt. Dann suchten wir nach Gemeinsamkeiten aus der Vergangenheit, es fand sich aber nichts, außer ein paar Namen, die uns allen bekannt waren. Die Burketts waren eine alte Artistenfamilie. Sie bestand aus Vater Alfred, der weiß war, der afro-deutschen Mutter Lilly und ihren gemeinsamen Kindern Charly und Manuela. Außerdem gehörte noch Waldemar, genannt »Waldi«, ein Bruder von Lilly, zur Familie, der am Trapez der Fänger war.

Sie hatten den Krieg in Wuppertal überlebt. Vater Alfred war früh als Soldat eingezogen worden und schwer verwundet zurückgekommen. Er baute die Nummer mit seiner Familie systematisch wieder auf, arbeitete aber selbst nur noch als Clown am Boden und nicht mehr am Trapez. Wir plauderten sehr angenehm etwa eine Stunde lang. Dann mussten sie in die Abendvorstellung und ich mit meinem kleinen Sohn nach Hause. Diese kurze Begegnung sollte später für mich noch unerwartet erfreuliche Folgen haben.

Showbusiness

Ich hatte bisher nicht versucht, wieder Anschluss an meine Zeit beim Zirkus und beim Film zu finden. Das Showbusiness kam von sich aus auf mich zu. Es ging um eine Rolle in Sartres Stück ›Die ehrbare Dirne‹. Heinrich Bitsch, Dramaturg und später Kulturreferent der Stadt Gießen, leitete das Schauspiel-Studio des Amerika-Hauses und brachte moderne Stücke französischer und amerikanischer Autoren auf die Bühne. Er sprach mich eines Tages in der Kantine des Zivilpersonals der US-Streitkräfte in Gießen an, ob ich die Rolle des »Negers« in diesem Stück übernehmen würde. Allerdings sei kein Geld damit zu verdienen, denn er hätte so gut wie keine finanziellen Mittel zur Verfügung. Als ich ihm erzählte, dass ich durch die kleinen Rollen beim Film und dem Zirkus bereits Erfahrungen in der Showbranche hatte, war er ganz erstaunt. Ich nahm das Angebot an, brachte es doch Abwechslung in die langweilige tägliche Übersetzungsarbeit. Die Proben fanden abends statt und kollidierten nicht mit meiner Erwerbsarbeit.

Die Inszenierung wurde ein großer Erfolg und erhielt gute Kritiken. Jahre später spielte ich die Fernsehfassung dieses Stückes im Hessischen Rundfunk in der Regie von Konrad Wagner zusammen mit Mady Rahl, Harry Mayen und Ernst Schröder. Diese Inszenierung erhielt 1957 einen Fernsehpreis.

Wiedersehen mit den Geschwistern

Eines Tages, im Sommer 1950, kam ich von der Arbeit aus Gießen nach Hause. Friedel empfing mich ganz aufgeregt. Sie wedelte mit einem ungeöffneten Brief vor meiner Nase, der französische Briefmarken trug und in Paris abgestempelt war. Er war an mich gerichtet, deshalb hatte sie ihn nicht geöffnet. Ich drehte ihn um und las den Absender: J. Michael. Ich traute meinen Augen kaum, ein Brief von einem meiner Geschwister, James oder Juliana? Meine Hände zitterten. Als ich noch bei der UNRRA war, hatte ich beim internationalen Suchdienst des IRKR in Bad Arolsen eine Suchanfrage für James und Juliana gestellt, negative Antworten erhalten und es schließlich aufgegeben, weiterzusuchen. Ich erwartete nicht, jemals wieder etwas von meinen Geschwistern zu hören. Und nun meldete sich eines von beiden bei mir.

Der Brief war von Juliana. Sie schrieb, sie werde demnächst mit dem Zirkus Althoff, der sich mit dem Cirque Bouglione für eine Tournee zusammengeschlossen hatte, nach Deutschland kommen und hoffe, dass wir uns endlich wiedersehen könnten. Ich war perplex. Ich hatte mich so bemüht, sie und James in Frankreich zu finden, und nun hatte sie mich gefunden! Wie war das möglich!?

Später erfuhr ich, wie es dazu gekommen war. Die Familie Burkett war mit ihrer Trapeznummer im Winter 1949/50 im Cirque D'Hiver (Winterzirkus) in Paris aufgetreten. Die Vormittage werden im Zirkus von den Artisten immer zu Proben genutzt. Da kommen schon mal, trotz Absprachen, Zeitüberschreitungen vor. Die Burketts warteten am Manegenrand darauf, dass die Manege frei wurde. Dort wurde noch eine Tigernummer geprobt. Die Dompteuse war eine schlanke, junge hübsche »Mulattin«, die den Raubtieren auf Französisch Befehle gab. Die Burketts hatten die junge Frau schon des Öfteren gesehen, aber nie mit ihr gesprochen. Einer der Tiger wollte nicht ins Laufgitter. Plötzlich hörten sie den deutschen Satz: »Nun geh schon endlich, du verdammtes Biest«. Damit scheuchte sie ihn hinaus. Damals im Jahr 1949 vermied man es in Frankreich noch überall, auch im Zirkus, deutsch zu sprechen, geschweige denn laut. Diese junge Frau nun fluchte akzentfrei in deutscher Sprache und so unbekümmert, dass es die ganze Umgebung hörte. Das war ein Grund für Lilly Burkett, sie anzusprechen. Es stellte sich heraus, sie hieß Juliana und war wie Lilly afro-deutscher Herkunft. Nun gab es lange Gespräche über das Woher und Wohin, über Familie, Landsleute usw. So erfuhren die Burketts von den zwei Brüdern Julianas, von denen sie lange nichts mehr gehört oder gesehen hatte. Der ältere sei in der Fremdenlegion, den jüngeren habe sie damals 1937 in Deutschland zurücklassen müssen und seit Kriegsbeginn nichts mehr von ihm gehört.

Sie zeigte Kinderbilder von mir, andere hatte sie ja nicht. Damit konnten die Burketts nichts anfangen. Aber es fiel ihnen ein, dass auf ihrer letzten Tournee mit dem Zirkus Althoff irgendwo in Westdeutschland ein junger Mann mit einem kleinen Kind aufgetaucht war und sich mit dem Namen »Michael« vorgestellt habe. Ob das nun der Vor- oder Nachname war und wo genau sich das abgespielt hatte, das wussten sie nicht mehr. Juliana erkundigte sich, wie der Mann denn ausgesehen habe. Na ja, wie »Landsleute« eben aussehen. Etwa 1,80 groß, schlank, selbstsicher, mit guten Manieren, aber sonst nichts Auffälliges. »Nein«, sagte Juliana traurig, »das kann er nicht sein, mein Bruder Theo ist klein, schwächlich und schüchtern, außerdem stottert er. Nein, der hat den Krieg nicht überlebt, er hat bestimmt nicht überleben können.«

Doch den Burketts ließ das keine Ruhe. Vielleicht war der junge Mann von damals doch einer von Julianas Brüdern. Sie baten Juliana um die genauen Personendaten ihres »kleinen Bruders« und forschten nach ihrer Rückkehr in Deutschland nach. Wie hieß noch mal der Ort, wo sie ihn getroffen hatten? Es war nach dem Auftritt in Gießen, aber noch vor Bad Nauheim. Sie erkundigten sich bei der Zentrale von Althoff, wo sie damals gastiert hatten, und kamen so auf Butzbach. Dann schrieben sie einen Brief an das dortige Einwohnermeldeamt und bekamen die Antwort: Ja, ein Theodor Michael wohne mit Frau und zwei Kindern hier, die Anschrift wurde beigelegt. Diese Auskunft wurde umgehend nach Paris weitergeleitet, und so fand Juliana ihren »kleinen Bruder« wieder.

Ein paar Wochen später gastierte der Zirkus Althoff in Köln und wir verabredeten uns. Der Zirkus hatte seine Zelte auf einem damals noch unbebauten Platz an der Inneren Kanalstraße aufgeschlagen. Juliana trat unter dem Künstlernamen Maoudi auf. Als ich ankam, führte sie gerade ihre Königstiger vor. Ich stand hinter dem Vorhang vor der Manege und beobachtete sie bei der Arbeit mit ihren Raubtieren. Als sie nach dem Applaus hinter den Vorhang kam, stand ich da und wir fielen uns in die Arme. Dreizehn Jahre hatten wir uns nicht gesehen. Dreizehn lange Jahre, die die

Welt und unser beider Leben völlig verändert hatten. Eine Ewigkeit.

In langen Gesprächen suchten wir wieder zueinanderzufinden und die Entfremdung zu überwinden, die durch die lange Zeit der Trennung entstanden war. Das alte Bruder-Schwester-Verhältnis war nicht so leicht wiederherzustellen. Wir waren inzwischen beide erwachsen und wir hatten jeder für sich so viel erlebt. Unsere jeweilige seelische Verfassung war zu unterschiedlich, als dass wir an unsere Kinderzeit unbeschwert wieder hätten anknüpfen können.

Kurz nach unserer ersten Begegnung in Köln hatte Juliana in Paris auch James wiedergetroffen. Dem war eine lange und abenteuerliche Suche vorausgegangen. Auch dieses Wiedersehen war durch den Zusammenhalt, das Wissen und die Solidarität der internationalen Artistengemeinschaft zustande gekommen.

James hatte im Sommer 1937 versucht, seinen 1932 ausgestellten und inzwischen abgelaufenen deutschen Reisepass im Generalkonsulat in Paris zu verlängern. Bei dieser Gelegenheit wurde ihm lapidar erklärt, es gäbe keine »schwarzen Deutschen mehr«. Sein Pass wurde ohne weitere Erklärungen eingezogen. Allerdings, so teilte man ihm mit, könne er, wenn er dies wünsche, selbstverständlich mit einem Fremdenpass, den ihm das Konsulat ausstellen würde, nach Deutschland zurückkehren. Ebenso selbstverständlich verzichtete James darauf. Er erhielt nicht einmal eine Quittung für seinen eingezogenen Pass. Das Generalkonsulat verließ er ohne Identifikationspapier und auch ohne Heimatland. Nunmehr hielt er sich illegal in Frankreich auf. Aber als Mitglied einer Artistentruppe, die sowieso keinen festen Wohnsitz hatte, konnte sich James in Frankreich so lange frei bewegen, als er nicht irgendwie mit Behörden in Berührung kam, bei denen Identifikationspapiere notwendig waren. Das hieß aber auch, der Arbeitgeber konnte (oder brauchte) ihn nicht zur Sozialversicherung anmelden, und das wiederum hieß für James: Unter keinen Umständen krank werden, denn er war ja nicht mehr versichert!

In den zwei letzten Friedensjahren ging das relativ gut. Es änderte sich aber schlagartig mit dem Kriegseintritt Frankreichs am 3. September 1939. James war aus Sicht der französischen Behörden nicht nur illegal im Land – das traf auf viele zu –, sondern auch noch ein »feindlicher Ausländer«.

Nach Kriegsausbruch internierten die französischen Behörden alle deutschen und ehemaligen deutschen Staatsangehörigen, ganz gleich ob sie Anhänger oder Gegner der nationalsozialistischen Regierung waren. Er entging der Internierung, weil er sich unauffällig in seiner Artistentruppe bewegte, mit ihr Frankreich verließ und im Herbst 1939 in Marokko landete. Inzwischen arbeitete er bei der Springertruppe »Agadir«, deren Mitglieder alle aus Marokko stammten und die sich vom Aussehen her nicht viel von James unterschieden. Der Chef der Agadir-Gruppe hatte noch Personalunterlagen von einem Marokkaner, der die Truppe schon vor einiger Zeit verlassen hatte. Er schlug James vor, den Namen und die Identität dieses Marokkaners zu benutzen, um einer möglichen Verhaftung durch die Polizei zu entgehen. James willigte ein und gab sich fortan als Marokkaner aus. Mit diesen Papieren konnte er Frankreich verlassen und in Marokko einreisen. Aber ein Mitglied der Truppe versuchte ihn zu erpressen und denunzierte ihn bei den Behörden, als er den Erpressungen nicht nachgab. Er wurde verhaftet und die französische Polizei gab sich alle Mühe, ihn der Spionage für das Dritte Reich zu überführen.

In den ersten Kriegsjahren herrschte bei den Alliierten größte Angst vor der sogenannten »fünften Kolonne« Deutschlands, deren Aktivitäten überall vermutet wurden. Der Begriff stammte aus dem Spanischen Bürgerkrieg. Der falangistische General Mola verwendete ihn, als er Madrid angriff, das noch in der Hand der Republikaner war. Er teilte der Presse mit, er würde mit vier Kolonnen angreifen, die fünfte sei bereits in der Hauptstadt tätig. Danach wurden mit diesem Begriff aktive Gruppierungen bezeichnet, die im eigenen Land die Ziele des Feindes verfolgten. Natürlich stellte sich schnell heraus, dass James unschuldig war und sein Vergehen lediglich in der Nutzung einer falschen Identität bestand. Er wurde zu einigen Monaten Haft verurteilt. Als er seine Strafe abgesessen hatte, musste er sich zwischen Internierungslager und Fremdenlegion entscheiden. Er wählte die Legion, machte dort Karriere, wurde hoch dekoriert und blieb mehr als 16 Jahre dabei.

1950 hatte er Heimaturlaub in Paris und traf dort Kollegen aus seiner Zeit im Cirque d'Hiver. Die konnten wiederum eine Verbindung zu Juliana herstellen. Wir waren alle drei überglücklich, dass wir uns wiedergefunden hatten, und versprachen uns, dass wir uns nie mehr aus den Augen verlieren würden. Dabei blieb es auch. Mein Bruder James Wonja Michael starb als Ritter der französischen Ehrenlegion im Alter von 91 Jahren im August 2007 in Mechernich-Kommern in Nordrhein-Westfalen. Am Ostersonntag 2013 starb meine Schwester Juliana in Wachtberg bei Bonn. Sie wurde 92 Jahre alt.

Keine Arbeit

Ab 1948 waren Reisen innerhalb der drei westlichen Besatzungszonen wieder möglich. Das wurde vielfach genutzt. Es gab noch immer Bezugskarten auf alle möglichen Verbrauchsgüter, Lebensmittel, Textilien, Möbel oder Öfen. Ich erinnere mich an einen Bezugsschein, den wir im Herbst 1947 beantragt und auch erhalten hatten. Es ging um einen Kleinherd für Friedels kleines Zimmer, das für uns drei so etwas wie Heimat war. Aber wir konnten den Herd damals in keinem Geschäft auftreiben und froren auch im Winter 1947/48 weiter.

Nach der Währungsreform im Juni 1948 bot man ihn uns von mehreren Seiten für teure DM an. Vorher tauschte, hamsterte oder organisierte jeder das Lebensnotwendigste. Dabei waren jene im Vorteil, die etwas zu tauschen hatten. Von den Militärregierungen der Trizone bekam man verhältnismäßig wenig mit. Die Durchführung ihrer Anordnungen wurde auf die deutschen Verwaltungen abgewälzt. Diese wiederum begründeten den Bürgern gegenüber auch ihre eigenen unpopulären Entscheidungen mit dem Willen der Militärregierung. Nach der Gründung der Bundesrepublik 1949 und im gleichen Jahr auch der DDR änderten sich die Lebensverhältnisse dann grundlegend.

Im Jahr 1951 wurde unser drittes Kind, unsere Tochter Susan, geboren. Die Zeiten waren nicht rosig für unsere wachsende Familie. Die Amerikaner reduzierten ihr ziviles Personal drastisch. Ich verlor meinen Arbeitsplatz in Gießen und damit auch das feste monatliche Einkommen. Nun war ich völlig auf die Einnahmen als freier Schauspieler angewiesen. Ich hätte damals gerne auf die »brotlose Kunst« verzichtet, wenn ich eine Chance gehabt hätte, wieder einen festen Arbeitsplatz zu bekommen. Aber das gelang mir nicht. Ich hatte ja im wahrsten Sinn des Wortes nichts gelernt, konnte keine Qualifikation vorweisen. Das hatten ja die Nazis verhindert, und es war nicht wieder aufzuholen. Das beginnende Wirtschaftswunder zeigte schon seine ersten Lichtstreifen am Horizont. Dennoch fragte jeder potenzielle Arbeitgeber zuerst nach Papieren und Zeugnissen, und die hatte ich nicht. Die Arbeitsämter bevorzugten »deutsche« Arbeitssuchende. Sie konzentrierten sich auf die aus dem Krieg bzw. der Gefangenschaft heimgekehrten Soldaten, auf Flüchtlinge und Versehrte. Ein nicht deutsch aussehender, staatenloser, nichts könnender Abkömmling eines ehemaligen Kolonialangehörigen war da nicht gefragt. Für potenzielle Arbeitgeber trug ich offensichtlich noch immer das Baströckchen aus der Völkerschau. »Wir haben keine Kolonien mehr, die haben sie uns doch schon 1919 abgenommen. Was haben wir denn mit diesen Leuten zu tun? Sollen sie doch da hingehen, wo sie hergekommen sind!« Und: »Die nehmen doch nur einem von uns den Arbeitsplatz weg!« So war in etwa die damalige offizielle wie auch inoffizielle Einstellung.

Einmal stand ich in der Schlange im Arbeitsamt und wurde Zeuge eines Gespräches zwischen dem Arbeitsvermittler und einem Arbeitsuchenden. Der Mann wollte sich als Schlosser bewerben. Der Vermittler sagte zu ihm, nach seinen Unterlagen sei er doch Maschinenbauingenieur. Deshalb könne er die Stelle, auf die er sich beworben hatte, nicht bekommen. Erst als der Mann auch seinen Gesellenbrief als Schlosser hervorzog, war der Mann vom Arbeitsamt bereit ihn zu vermitteln und warnte ihn noch ausdrücklich, er solle bei der

Firma nur den Gesellenbrief vorlegen. Eine junge Frau aus Friedels Bekanntenkreis verlor ihre Stellung bei der Post, weil ihr Mann, der vor dem Krieg bei der Reichspost gelernt hatte, nach der Rückkehr aus der Kriegsgefangenschaft wieder eingestellt werden musste.

Mich deprimierte dies alles sehr, meine Hoffnungslosigkeit wuchs. Das machte sich bemerkbar. Friedel war es, die im Interesse unserer Kinder nie den Mut verlor und praktisch die Familie steuerte. Mir blieb nichts übrig, als es weiterhin als Schauspieler zu versuchen, ein Weg, der in dieser Nachkriegsgesellschaft genauso exotisch war wie ich selber. Also sprach ich in Theatern vor. Aber einen schwarzen »Ferdinand« oder »Leonce« oder gar den »Leicester«? Nein, unmöglich! Aber ich könnte doch auch den »Othello« spielen, den »Caliban« oder den »Mulay Hassan«, die waren doch schwarz. Nein, das ginge nicht, die seien bisher noch nie mit einem schwarzen Schauspieler besetzt worden. Das war nicht üblich. In Deutschland schminkte man lieber einen weißen Schauspieler schwarz. Außerdem sei ich für die Rolle des Othello viel zu jung und die notwendige Statur hätte ich auch nicht. Ich lernte die Rollen jugendlicher Helden auswendig, aber überall, wo ich damit vorsprach, fragte man mich, ob ich singen oder tanzen könne. Nein, das konnte ich nicht. Mehr als meine klare, helle Stimme, die aber offensichtlich nicht zu meiner äußeren Erscheinung passte, hatte ich nicht.

Theater

Fritz Rémond hatte ab dem Ende der Vierzigerjahre das Kleine Theater im Zoo in Frankfurt zu einer renommierten Bühne gemacht. Ich sprach bei ihm vor. Er sagte mir, er könne mich nur einsetzen, wenn ich ein weniger kultiviertes Deutsch spräche. Er war der Meinung, ich sei dem deutschen Publikum im konservativen Frankfurt nicht vermittelbar. Aber am Ende war es dennoch er, der mich nach ersten Versuchen förderte und mir immer wieder Rollen gab, bei denen es vordergründig nicht auf die Hautfarbe ankam. In den Jahren, in denen ich dort spielte, traf ich viele Kollegen und Kolleginnen, die später große Karrieren machen sollten, wie Herta Worell, Hans-Joachim Kulenkampff oder Sybille Schmitz, die mir noch aus Rom bekannt war. Ich traf auch Ralf Wolter, den Sam Hawkens der späteren Karl-May-Filme, sowie den früh verstorbenen Uwe Dallmeier, mit dem ich bereits in Gießen gespielt hatte, und Käthe Jaenicke, die ich ebenfalls von dort kannte und so verehrte, dass Friedel bereits eifersüchtig wurde, natürlich völlig unbegründet. In der Theatergarderobe teilte ich den Schminkplatz mit einem immer gut angezogenen und gut aussehenden Kollegen in meinem Alter, den ich wegen seines eleganten Auftretens bewunderte. Es war Boy Gobert, der spätere Intendant des Thalia Theaters in Hamburg sowie des Burgtheaters in Wien. Es waren wichtige Lehrjahre am Kleinen Theater im Zoo mit unvergesslichen Erinnerungen.

Fritz Rémond, ein genialer Theaterregisseur, verstand es, seine Schauspieler so einzusetzen, dass sie zu Höchstleistungen aufliefen, auch wenn sie nicht immer traditionell, nach den damals noch gültigen Theaternormen, besetzt waren. Zu mir war er immer fair und anständig. Ich erinnere mich an eine erste Probe für ein Stück, zu der zu erscheinen ich mangels Telefon telegrafisch aufgefordert wurde. Das Geld für die Fahrkarte von Butzbach nach Frankfurt reichte gerade noch für die Hinfahrt, aber für zurück nicht mehr. Friedel hatte die letzten Groschen, die eigentlich für den Haushalt bestimmt waren, herausgerückt.

Nachdem ich mit der ersten Probe fertig war, sagte Rémond mir, wann und wie am nächsten Tag die Proben weitergehen würden und wendete sich wieder den anderen Schauspielern zu. Ich aber brauchte unbedingt einen Vorschuss, um mir für die kommenden Probetage eine Zeitkarte kaufen zu können. Außerdem warteten zu Hause drei kleine Mäuler auf Essen. Ich musste unbedingt Geld mitbringen. Es war damals in unseren Kreisen keineswegs unüblich, nach einem Vorschuss zu fragen, denn Geld war bei Künstlern immer knapp. Deshalb bekam man in der Regel auch immer einen Vorschuss.

Ich wandte mich an Konrad Wagner, damals Rémonds Regieassistent und praktisch für alles zuständig, und machte ihn mit meiner momentanen finanziellen Not vertraut. Wir tuschelten miteinander und Konrad meinte, er habe leider selber auch kein Geld zur Verfügung, noch nicht einmal privat. Über bares Geld könne zurzeit nur der Chef verfügen. Er wandte sich diskret an Rémond, und der wiederum war peinlich berührt, als »Konni« ihm von meinen Nöten erzählte. Doch er zückte sein Portemonnaie, das gerade vierzig Mark enthielt, und gab mir zwanzig davon. Am nächsten Tag würde wieder Bares in der Theaterkasse sein, vertröstete er uns beide. So war der Alltag an den privaten Theatern in dieser Zeit.

Zeitweise besaß Rémond auch das Theater in der Börse, ein kleines Theaterchen in einem nicht genutzten Saal der Frankfurter Börse. Des Öfteren kam es zu Überschneidungen im Spielplan. Schauspieler mussten am gleichen Abend sowohl im Kleinen Theater im Zoo als auch im Börsensaal auftreten. Dann musste man zeitlich scharf kalkulieren, sich im Taxi umziehen und bei der Ankunft gleich auf die andere Bühne. Aber es klappte fast immer. Einmal wurde ich bei einer Aufführung in der Börse am Anfang und am Ende eines Stückes gebraucht, in der Zwischenzeit aber auch in der Mitte einer Aufführung im Zoo. Das hieß, ich hatte den gleichen Weg zweimal zu machen. Einmal zu Fuß und das zweite Mal mit dem Taxi. Das Taxi stand in solchen Fällen immer bereit, der Fahrer wurde monatlich pauschal entlohnt.

Außer bei Rémond spielte ich in Frankfurt auch im damaligen Theater am Rossmarkt, das von den Brüdern Kollek geleitet wurde, sowie im Städtischen Schauspielhaus, dessen Intendant damals Harry Buckwitz war. Dort hatte ich die Rolle des Blossom in ›Das heiße Herz‹ von John Patrick, von dem auch das durch die Verfilmung berühmt gewordene Stück ›Das kleine Teehaus‹ stammt. ›Das heiße Herz‹ spielt während des Zweiten Weltkriegs in einem alliierten Militärhospital in Südostasien. Regie führte Leo Mittler, ein aus der Emigration zurückgekehrter früherer Berliner Theatermann, bekannt auch als Schwiegersohn der berühmten Wiener Chanteuse Fritzi Massary. Sie war in den Zwanziger- und Dreißigerjahren ein Star der deutschsprachigen Theaterlandschaft. Mittler war ein guter, wenn auch anstrengender Regisseur, ein Tüftler und Perfektionist, der seine Schar junger eigenwilliger Schauspieler hervorragend einzusetzen wusste. Erik Schumann, Hanns Lothar, Friedrich Schönfelder, Klaus Wussow, der sich später Klaus-Jürgen nannte, Egon Zehlen und ich fanden sich so zusammen. Als einzige Frau war Irene Naef mit von der Partie.

Mit Hanns Lothar verband mich bis zu seinem frühen Tod 1967 ein freundschaftliches Verhältnis. Wir spielten unsere damaligen Bühnenrollen in zwei verschiedenen Fernsehinszenierungen in den Fünfzigerjahren noch einmal. Hanns Lothar war ein schauspielerisches Phänomen, vielseitig, intelligent, wandlungsfähig. Im Privatleben stotterte er oft, aber nie in einer seiner vielen Rollen. Er war ein paar Jahre jünger als ich. Doch er war mir wegen seiner direkten Spielweise und vor allem wegen der Art, wie er mit seinem Handicap umging, ein leuchtendes Vorbild.

Wenn wir zusammen spielten oder uns trafen, sahen wir dem gleichen Frauentyp nach. Aber wir kamen uns natürlich nicht ins Gehege. Ich war schließlich verheiratet. Er liebte die Frauen und sie ihn. Ich erinnere mich an einen Abend von einer Generalprobe oder Premiere. Wir waren ein bisschen versackt und der Kollege Jost Jürgen Siedhoff nahm uns beide mit zu sich nach Hause und trat uns sein breites Bett ab, während er selbst auf der Couch schlief. Ich war todmüde und schlief sofort ein. Mitten in der Nacht rüttelte Hanns an meiner Schulter. Nur mühsam wurde ich wach. »Was ist los?«, fragte ich unwillig. »Warum bist du keine Frau?«, war seine Antwort. Wir hatten immer viel Spaß miteinander.

Mein letztes Telefonat mit ihm fand 1967 statt. Ich hatte ein Angebot vom Produktionsleiter des Hessischen Rundfunks, den »Crooks« in der Fernsehfassung von John Steinbecks ›Von Mäusen und Menschen‹ zu spielen. Damals hatte ich aber den Schauspielerberuf mangels durchgreifender Erfolge bereits aufgegeben und war inzwischen Chefredakteur des ›Afrika-Bulletin‹. Deshalb sagte ich zunächst ab. Kurze Zeit später klingelte das Telefon erneut. Hanns Lothar war am Apparat. »Spinnst du? Ich habe mich schon so darauf gefreut, wieder mal mit dir zu spielen. Also los, sag einfach zu«, sagte er und legte auf, bevor ich antworten konnte. Wie sich herausstellte, sollte er den Lenni spielen und Wolfgang Reichmann den George. Die Außenaufnahmen sollten in Südfrankreich gedreht werden. So sagte ich schließlich doch zu, denn auch ich freute mich sehr auf ein Wiedersehen. Wenige Wochen später war Hanns Lothar tot. Akutes Nierenversagen, wie sich herausstellte. Für seine Rolle sprang kurzfristig Peer Schmidt ein. Der Film wurde mehrere Male vom Hessischen Rundfunk ausgestrahlt.

Rundfunk

Im Rahmen ihrer Kulturpolitik für die deutsche Zivilbevölkerung hatte die amerikanische Militärregierung nach Kriegsende relativ früh begonnen, den Frankfurter Radiosender aufzubauen. Zuerst als »Radio Frankfurt«, ab 1948 als Hessischen Rundfunk. Hierfür hatten sie beschlagnahmte Villen im Frankfurter Stadtteil Bockenheim freigegeben.

Für uns Schauspieler bot der Sender gute Möglichkeiten, als Sprecher im Schulfunk, fürs Feuilleton oder in Hörspielen zu arbeiten. Wenn man für eine bestimmte Sprecherrolle im Haus war, ergaben sich fast immer weitere Möglichkeiten und neue Termine. Die Kantine des Hessischen Rundfunks wurde zum Aufenthaltsort und zur Börse für alle Kollegen und Regisseure. Im Gegensatz zu späteren Zeiten machte die Verwaltung bei den Sendern damals nur einen kleinen Prozentsatz des Personals aus. Man kam zur angesetzten Zeit ins Studio, sprach seinen Text, bekam nach der Arbeit seinen Gagenzettel vom Produktions- oder Aufnahmeleiter abgezeichnet, ging zur Kasse, legte den Beleg vor und bekam sein Geld ausgezahlt. So einfach war das damals. Im Durchschnitt bekam man für eine Rolle 50 Mark, ganz selten überstieg die Gage 100 Mark.

Wenn ich nicht in der Kantine war, dann im Amerika-Haus. Ich las und las, auch in Englisch, alles, was ich lesen konnte und was für mich interessant war. Unter anderem las ich das ›An American Dilemma. The Negro Problem and Modern Democracy‹ von Gunnar

Myrdal, das ich damals in Gießen angefangen hatte, zu Ende. Myrdal lehrte damals in den USA und befasste sich mit der Situation des afrikanischen Bevölkerungsteils innerhalb der amerikanischen Gesellschaft und den Ursachen dafür. Er schrieb offen über Ungerechtigkeit, Hass, Vorurteile und die Diskriminierung durch Gesetze und Justiz. Vor allem schrieb er über eine zu erwartende Radikalisierung der Afro-Amerikaner. Doch es ging auch um mögliche Veränderungen in der amerikanischen Gesellschaft. Ich verschlang das Buch. Manches verstand ich nicht auf Anhieb, weil mein Englisch noch nicht gut genug war für eine wissenschaftliche Lektüre, aber es war das Umfassendste, das ich bis dato über schwarze Menschen in einer »weiß« bestimmten Welt gelesen hatte.

Die erste amerikanische Auflage dieses Buches erschien 1944, die zweite folgte erst 1962 und bis zu einer weiteren dauerte es 34 Jahre, bis 1996. Es ist bezeichnend für die innenpolitischen Verhältnisse der Vierziger- und Fünfzigerjahre in den USA, dass diese Thematik in einer so umfassenden Weise nicht von einem Amerikaner, sondern von einem europäischen Wissenschaftler und Nobelpreisträger aufgegriffen wurde. Es dauerte nach der Erstveröffentlichung dieses Buches immerhin noch zehn Jahre, bis sich eine breite Bürgerrechtsbewegung in den USA auf ihren langen und steinigen Weg machen konnte. Dieses Buch leistete einen erheblichen Anstoß zu einer längst fälligen Veränderung in der US-amerikanischen Gesellschaft. Mit Begeisterung las ich außerdem das Magazin LIFE sowie EBONY, damals die Zeitschrift der afro-amerikanischen Eliten, in der vor allem ihre positiven Entwicklungen herausgestrichen wurden.

Aber auch ein deutsches Buch beschäftigte mich damals sehr: ›Der Fragebogen‹ von Ernst von Salomon. Dieses 1951 erschienene Buch war damals ebenso umstritten wie erfolgreich. Den erzählerischen Rahmen für die Darstellung der jüngsten deutschen Geschichte in diesem Buch bildet der Fragebogen der amerikanischen Militärregierung, den alle in der US-Zone lebenden erwachsenen Personen ausfüllen mussten. Wie übrigens auch ich. Ernst von Salomon, Jahrgang 1902, preußischer Kadettenschüler, war Mitglied der Freikorps im Baltikum und Oberschlesien gewesen. Wegen der Beteiligung an der Ermordung von Außenminister Walther Rathenau wurde er zu fünf Jahren Zuchthaus verurteilt und zwei Jahre später begnadigt. Er war beispielhaft für die sogenannte »verlorene Generation« nach dem Ersten Weltkrieg, junge Männer, die nach dem Krieg ihre Ideale verloren hatten. Beim Lesen dieses Buches, vom Autor als Roman bezeichnet, drängte sich mir der Gedanke auf, was geschehen wäre, wenn es nach dem Ende des, ebenfalls verlorenen, Zweiten Weltkrieges noch einmal eine solche Generation gegeben hätte?

Ich verbrachte viel Zeit in den kleinen Antiquariaten auf der Zeil in Frankfurt/Main, auf der Suche nach Literatur über Afrika. Die war damals reichlich im Angebot, denn vor allem die öffentlichen Bibliotheken warfen die koloniale Literatur aus ihren Regalen. Teilweise stammte sie aus der Nazizeit und zeitgemäß war sie auch nicht mehr. Ich machte manches Schnäppchen. Aber schon aufgrund unserer sehr knappen Einkünfte konnte ich meinem Lesetrieb nur beschränkt nachgehen. Friedel hatte wenig Verständnis dafür, mit einer Familie im Hintergrund, die ständig am Rande des Existenzminimums lebte. Wenn ich doch mal wieder ein Buch gekauft hatte, versteckte ich es zu Hause erst einmal. Aber Friedel kam mir immer auf die Schliche und es gab bei jedem neuen Buchfund ein Donnerwetter, weil sie die Anschaffung überflüssig fand. Anklage und Verteidigung, bevor das Buch offiziell ins Regal gestellt werden durfte. Fast jeden Tag war ich mit der Bahn von Butzbach nach Frankfurt und wieder nach Hause unterwegs. Das dauerte jeweils etwa eine Stunde und ich hatte viel Raum und Zeit zum Lesen und Nachdenken.

Fernsehen

Eines Tages hörten wir im »Globetrotter«, dass der Hessische Rundfunk eine eigene Fernsehproduktion aufbauen wollte und deshalb Leute suchte. Das »Globetrotter« war ein zur Künstlerkneipe umgebauter ehemaliger Salonwagen der Reichsbahn, der auf einem Trümmergrundstück stand. Natürlich hatte wir alle schon vom Fernsehen in den USA gehört und gingen davon aus, dass es bei diesem neuen Medium auch neue Arbeitsmöglichkeiten für Schauspieler gab. Die Leute, die für den Aufbau des Fernsehens in Deutschland verantwortlich waren, dämpften unsere Erwartung allerdings sofort. Bühnenschauspieler könne man für das Medium Fernsehen überhaupt nicht gebrauchen. Man suche frische natürliche Kräfte, die nicht so posieren würden wie wir auf der Bühne. Talentsucher seien schon unterwegs, um auf der Straße nach solchen Kräften zu suchen. Die so aufgelesenen »natürlichen, frischen Kräfte« wurden in die Studios geschleppt und vor die Kameras gestellt. Es waren anfangs durchweg Reinfälle. Die Regisseure, die die Inszenierung von Fernsehspielen übernahmen, kamen fast ausnahmslos vom Theater. Sie griffen deshalb bei der Besetzung von Fernsehspielen erst einmal auf bewährte Schauspieler zurück, die sie von der Bühne her kannten.

Eines der ersten Fernsehspiele, die überhaupt im deutschen Fernsehen liefen, hieß ›Held in unserer Zeit‹ von dem amerikanischen Autor D. Davidson. Der Hessische Rundfunk brachte es 1955 heraus. Es ging um amerikanische Soldaten, die nach dem Ende des Koreakrieges aus chinesischer Kriegsgefangenschaft in die USA zurückkehrten. Das Stück passte genau in die damalige Stimmung im Kalten Krieg. Regie führte Fritz Umgelter, ein Pionier des deutschen Fernsehspiels. Ich spielte einen der fünf amerikanischen Soldaten.

Das erste Fernsehstudio des Hessischen Rundfunks war kreisrund und eigentlich als Plenarsaal für den Deutschen Bundestag vorgesehen gewesen, als Walter Kolb, der 1946 gewählte Oberbürgermeister, noch für Frankfurt als Sitz der neuen Bundeshauptstadt eingetreten war. Die Probenarbeit unterschied sich damals kaum von der am Theater. Allerdings waren die Proben erheblich kürzer und von Anfang an sehr intensiv. Wie auf der Theaterbühne probte der Regisseur mit uns am Anfang im Studio. Etwa eine Woche vor der Ausstrahlung kam dann die Technik dazu, d. h. die Kameras wurden eingesetzt und alle Wege sowohl der Schauspieler als auch der Kameras wurden genau festgelegt.

Der Hessische Rundfunk besaß damals vier Fernsehkameras, von denen drei eingesetzt und eine in Reserve gehalten wurde. Einmal erlebte ich, wie mitten in der Ausstrahlung eine von den dreien ausfiel und das Stück mit nur zwei Kameras weitergefahren werden musste. Da musste alles genau stimmen. Der Regisseur saß vor den Monitoren und kontrollierte die Bilder, im Studio hörte man ihn nur noch über Lautsprecher, wenn er Anweisungen gab. Die Cutterin arbeitete genau nach dem Regiebuch. Es waren zumeist Frauen, die die Schnitte durchführten. Bei diesen Proben mit der Technik gab es die meisten Unterbrechungen, weil neben Schauspielern, Kameras, Beleuchtung auch die Mikrofone stimmen mussten. Damals hingen sie noch am sogenannten Galgen, der aber auch nicht im Wege stehen durfte, wenn Schauspieler oder Kameras sich im Studio bewegten. Im Verhältnis zu den heutigen Filmstudios waren die damaligen Fernsehstudios winzig. Noch heute staune ich über die Qualität der damaligen Aufführungen, die nur durch das ausgezeichnete Zusammenwirken von Regie, Schauspielern und Technik zustande gekommen war.

Für uns Schauspieler war das neue Medium Fernsehen eine neue Erfahrung. Vieles war genau wie im Theater, weniger wie im Film, wo kurze Takes auf das Zelluloid gebannt und später erst zusammengesetzt wurden. Nur dass die Proben mit den Kameras abliefen und in einem Ablauf von Anfang bis zum Ende durchliefen. Wie im Theater gab es Haupt- und Generalproben, aber die Premiere war zugleich das Ende. Damals konnten die Sendungen noch nicht konserviert werden und waren in dem Augenblick endgültig verloren, in dem sie ausgestrahlt wurden. Am Theater gibt es nach der Premiere eines Stückes weitere Vorstellungen. Für mich hinterließ jede ausgestrahlte Sendung ein Gefühl der Leere und zugleich der Unzufriedenheit.

Zeit der Not

In diesen Jahren spielte ich in vielen Stücken und befand mich künstlerisch auf einem aufsteigenden Weg. Aber die Honorare reichten hinten und vorne nicht für den Unterhalt einer fünfköpfigen Familie. Im Jahr 1955 lagen die Gagen pro Stück, wenn es hoch kam, bei 500 bis 600 Mark. Allmählich schlich sich in unsere Familie die nackte Not ein. Friedel war zwar eine wahre Meisterin im Improvisieren, sie bekam auch immer wieder Kredit beim Bäcker und beim Kaufmann, der Metzger wurde selten genug aufgesucht. Als Dauerzustand war das aber unerträglich. Wir brauchten eine feste monatliche Einkommensquelle, die zumindest den Grundbedarf der Familie decken konnte. Damals wurde sechs Monate Arbeitslosenunterstützung gezahlt. Danach gab es nur noch Arbeitslosenhilfe. Das waren für uns etwa 25 Mark in der Woche.

Ein Sprichwort lautet: »Schleicht die wirtschaftliche Not ins Haus, fliegt die Liebe zum Fenster raus.« So war es auch bei uns. Ich litt erneut unter Minderwertigkeitskomplexen, fing wieder an zu stottern, versagte prompt im Hörfunkstudio und bekam keine Angebote mehr. Friedel begann nun, mir wegen meiner Unfähigkeit und meines Versagens Vorwürfe zu machen. Natürlich hatte sie von ihrem Standpunkt aus recht. Ich rannte dann immer wütend aus dem Haus, in den vor der Haustür liegenden Wald, und nahm die Axt und den Handwagen mit, um mit freundlicher Genehmigung des Försters Baumwurzeln auszugraben, zu zerkleinern und als Brennholz für den Winter einzulagern.

Die in der Nähe von Butzbach stationierten Amerikaner bauten einen alten Schießstand der Wehrmacht in einen modernen um und vergrößerten die Anlage. Dabei fiel erheblicher Eisenbeton an und es gab die Möglichkeit, mit Hammer und Meisel das Eisen aus dem Beton herauszuschlagen. Für Metallschrott zahlten die Händler damals relativ gut. Besonders aber für Kupfer und Messing. Deshalb schätzte ich mich glücklich, wenn ich irgendwo im Straßengraben oder im Wald Metall oder, wie vorgekommen, einen weggeworfenen Autokühler aus reinem Kupfer fand. Wenn es dunkel war, ging ich schon mal auf Felder der nahe gelegenen Strafanstalt und grub einen Korb Kartoffeln aus oder schnitt einen Kohlkopf ab, um wenigstens etwas nach Hause zu bringen. Von den Bäumen heruntergefallene Äpfel sammelten wir sowieso auf. Apfelmus kochten wir selber oder brachten die Äpfel in die Saftkelterei zum Saft pressen. Zur »Wohlfahrt« zu gehen, wie damals das Sozialamt hieß, dazu waren wir zu stolz, lieber hungerten wir.

Diese Zeit der Not führte mich in eine schwere persönliche und eheliche Krise. Wir versuchten beide, die Kinder da herauszuhalten. Bei mir äußerte sich dies in depressiven Zuständen und zu einem erneuten Ausbruch der schon erloschen geglaubten Lungentuberkulose. Ich merkte es erst, als es fast schon zu spät war und die Löcher in der Lunge groß wie Fünf-Mark-Stücke waren.

Im Sanatorium

Im Jahr 1956 wurde unser viertes Kind und zweiter Sohn René geboren. Dieses Jahr bedeutete eine wichtige Zäsur in meinem Leben. Durch den Ausbruch der Krankheit und die damit verbundenen Folgen, wurde ich völlig aus der Bahn geworfen. Ich musste Entscheidungen treffen, die nicht mehr aufzuschieben waren. Es war einerseits klar, dass es so wie bisher nicht weitergehen konnte, mit dem Leben von der Hand in den Mund. Unsere Kinder hatten ein Recht auf einen Vater, der in der Lage war, ausreichend für sie zu sorgen. Und nun kam auch noch der erneute Ausbruch einer lebensgefährlichen Krankheit hinzu. Mit offener TBC war ich eine Gefahr für meine Familie, für meine Umwelt, für jeden, der in meine Nähe kam. Das traf mich zu einem Zeitpunkt, als plötzlich wieder lukrative Angebote und Anfragen von Theatern und Fernsehen eintrafen. Zeichen für ein berufliches Zwischenhoch. Doch ich konnte sie nicht aufgreifen. Ob ich wollte oder nicht, ich musste mich behandeln lassen.

Der Gedanke, dass meine Familie mittellos zurückblieb, wenn ich in Behandlung war, brachte mich fast um den Verstand. Es blieb mir nichts anderes übrig, ich musste doch zur »Wohlfahrt«. Den zuständigen Beamten im Rathaus kannte ich aus anderen Zusammenhängen. Wir duzten uns. Er verstand meine Sorgen. »Also, als Erstes müssen wir einen Rentenantrag bei der Bundesversicherungsanstalt in Berlin stellen, denn die Krankenkasse steuert dich nach einem halben Jahr aus«, sagte er. Ich war entsetzt. Mit einem so langen Krankenhausaufenthalt hatte ich nicht gerechnet. Ich dachte, ich käme viel früher zurück zu meiner Familie. »Du bleibst mindestens ein Jahr weg! Unter dem machen sie es nicht.« Damit meinte er die Ärzte. »Und danach wirst du noch lange nicht arbeitsfähig sein.« Arbeitsunfähigkeitsrente mit 31 Jahren! Er machte mir jedoch unmissverständlich klar: Wenn ich mich darauf nicht einließe, würde meine Familie mittellos sein und die Wohlfahrt würde auch nicht einspringen, weil ja ein Rentenanspruch bestand. Die Bearbeitung eines Rentenantrags dauere sowieso mindestens ein halbes Jahr und so lange zahle ja die Krankenkasse.

Ich wäre dann mit 31 Jahren Rentner. Wenn ich ein Papier ausfüllen musste, in dem ich nach meinem Beruf gefragt wurde, würde ich »Rentner« angeben müssen. Der Gedanke war mir unerträglich. Aber schließlich willigte ich ein. Es blieb mir nichts anderes übrig.

Ich kam in eine Klinik in der Nähe von Wiesbaden und wurde erst einmal isoliert, zumindest so lange, bis die Ansteckungsgefahr vorbei war. Ich hoffte immer noch, alles würde nach ein paar Wochen vorbei sein, aber dem war natürlich nicht so. Es wurden neun lange Monate daraus. Und im folgenden Jahr noch einmal vier. Am Ende stand ich vor einem beruflichen und persönlichen Scherbenhaufen. Meine lange Abwesenheit verstärkte die Entfremdung zwischen mir und meiner Familie. Ich war schließlich von heute auf morgen verschwunden und bis auf Weiteres nicht wiedergekommen. Friedel konnte mich in diesem Dreivierteljahr nur einmal besuchen. Die vier Kinder nahmen sie voll in Anspruch. Und sie hatten sich unter Friedels Regie auch ohne mich gut zurechtgefunden. Als ich zurückkam, war ich tatsächlich wie ein Fremder, der sich in die Familie hineindrängte. Daraus wurde in den darauffolgenden Jahren eine echte Familienkrise. Dennoch gehört der Zwangsaufenthalt im Sanatorium zu meinem Leben wie alles andere auch. Es ist eigenartig, aber ich möchte diese Zeit nicht missen. Wie sich später herausstellen sollte, war es keineswegs eine verlorene Zeit.

Die ersten Monate im Sanatorium hatte ich strenge Bettruhe, durfte nur zum Waschen aufstehen und zur Toilette. Das Essen wurde mir von einer liebenswürdigen Nonne ins Zimmer gebracht. Sie war anfänglich die einzige Person, mit der ich Kontakt hatte. Sie holte mir die Bücher aus der Sanatoriumsbibliothek und besorgte mir Zeitungen und Zeitschriften. Oft führten wir lange tiefsinnige Gespräche miteinander. Sie erzählte mir, dass sie ebenfalls TBC gehabt hatte, in beide Lungenflügel Pneus gesetzt bekam und sich vorgekommen war wie ein Luftballon, der nicht fliegen konnte. Nicht alle ihre Mitschwestern waren so freundlich. Aber ich war dort gut aufgehoben.

Nach einigen Monaten lernte ich auch andere Patienten kennen. Wir trafen uns bei den gemeinsamen Mahlzeiten oder in der Liegehalle auf »dem Bock«. So wurden die hölzernen Liegegestelle mit ihren schafpelzgefütterten Schlafsäcken genannt. Jeder, der ins Freie durfte, bekam einen solchen zugewiesen, und es wurde streng darauf geachtet, dass die Liegezeiten – vormittags und nachmittags und dies auch im Winter – eingehalten wurden. Die Liegehallen waren streng getrennt nach Männlein und Weiblein, wie es sich für eine Anstalt gehört, die von Nonnen betreut wird. Die Ärzte machten ihre Visiten auch in den Liegehallen. Nur der kleinere Teil der Patienten war wegen Ansteckungsgefahr zur Bettruhe im Zimmer verbannt. Es gab Ein-, Zwei-, Drei- und Vierbettzimmer.

Die Kranken waren bunt zusammengewürfelt und kamen aus allen Ständen und Berufen. Die TBC im Nachkriegsdeutschland war nicht standesbewusst, sie traf nicht nur arme Leute. Sie schlug in allen Schichten der Bevölkerung zu. Am meisten gefährdet waren allerdings Menschen, die im Krieg und danach besonders gelitten hatten. Es waren viele Kriegsteilnehmer dabei, die teilweise krank aus russischen Lagern gekommen waren. Ich entsinne mich eines nach eigenen Angaben hochdekorierten Feldwebels der Waffen-SS, der immer unwillig reagierte, wenn die allgemeinen Gespräche auf die damals noch junge deutsche Vergangenheit kamen. Er tat das jedes Mal mit der Bemerkung ab, das sei doch alles vorbei und man solle doch endlich damit aufhören. Meine persönliche Auffassung war, dass man darüber sprechen müsse. So kam es auch zu heftigen Kontroversen. Aber genau dies war damals die gängige Haltung, man solle doch den Mantel des Schweigens über die Zeit des Nationalsozialismus breiten. Eine Einstellung, die schließlich zur Jugendrevolte von 1968 führte, als die Nachkriegsgeneration nunmehr mit den Vätern und Großvätern wegen ihres Verhaltens während der Nazizeit zu Gericht ging. Dabei war die Verdrängung natürlich auch Selbstschutz, für Täter und Opfer, damit man weiterleben konnte und nicht an der Schuld, der Schande und ihren Folgen zerbrach.

Unter den Patienten waren auch junge Menschen, Schüler und Studenten. Während meines Aufenthaltes in diesem Sanatorium starb dort niemand. Todgeweihte schickte die Leitung rechtzeitig nach Marienheide in der Nähe Kölns. So blieb die Statistik sauber. Im Speisesaal saß ich mit zwei anderen Patienten und einem etwa 20-jährigen Mädchen an einem Tisch, die gerne viel und laut lachte. Wir Tischgenossen – eine weitere Frau und ein Mann und ich – lachten natürlich mit. Sie lachte über jede Geschichte, die sie erzählte oder die sie von anderen hörte. Sie war nie missgelaunt, immer fröhlich und wir hatten viel Spaß miteinander. Eines Tages war sie ohne Abschied verschwunden und wir hörten, sie sei nach Marienheide gekommen. Wenige Wochen später war sie tot. So etwas macht sehr traurig, wussten wir doch, dass es uns ebenso ergehen könnte. Trotzdem hellte sich die gedrückte Stimmung im Haus immer wieder auf. Jeder wusste, wie gefährlich die Krankheit war. Später ist die Medizin in Mitteleuropa dieser Volksseuche schließlich doch Herr geworden. Aber bis in die Fünfzigerjahre mussten sich die betroffenen Menschen weitgehend noch selber helfen.

Im Winter 1956/57 bekam ich schließlich einen Pneu im linken Lungenflügel gesetzt. Das heißt, die Lunge wurde durch Zuführung von Luft unter Niederdruck gesetzt, sodass sie kollabierte. Dadurch fiel das große Loch in sich zusammen und konnte in natürlicher Weise heilen. Das war eine erfolgreiche Methode, die allerdings sehr viel Zeit beanspruchte. Dem Pneu musste anfänglich jede Woche Luft zugeführt werden. Erst im Prozess der Heilung nach mehreren Jahren wurde der Pneu aufgelassen. Bei mir dauerte es fast drei Jahre.

Vergiftetes Klima

Auch im Sanatorium hatte ich gelesen, was immer ich in die Finger bekam. Bücher von Autoren, deren Namen ich vorher nie gehört hatte bzw. deren Werke ich nicht kaufen konnte, weil mir dazu die Mittel fehlten. Giraudoux, John Steinbeck, Saul Bellow und, und, und. Ich las einfach alles, machte mir keine Gedanken darüber, ob es große Literatur, Unterhaltung oder Schund war, Hauptsache, ich hatte etwas zu lesen. Die Bibliothek im Haus war gut bestückt. Außerdem kam ich mit Menschen ins Gespräch, die vom gleichen Schicksal betroffen waren. Wir hatten alle viel Zeit zum Nachdenken und miteinander Reden.

Im Frühjahr 1958 wurde ich endgültig aus dem Sanatorium entlassen und kam zurück in meine Familie, in der die nackte Not herrschte, auch wenn Friedel ihr Bestes tat, um das nach außen zu verbergen. Wir wurden ohnehin fast als Asoziale angesehen. Wir strengten uns sehr an, um dieses Klischee nicht noch zu bedienen, aber wir mussten uns oft anhören, dass wir mit unseren vier Kindern selbst an unserer finanziellen Misere schuld waren. Das soziale Klima war damals alles andere als kinderfreundlich. Und unsere Kinder, die bis auf den Jüngsten bereits zur Schule gingen, hatten dort und in der Nachbarschaft Vergleichsmöglichkeiten mit Mitschülern und deren Familien. Sie verstanden nicht, warum bei uns an allem so entsetzlich gespart werden musste und es ihren Mitschülern so gut ging. Friedel, bei all ihrem Talent zum Einteilen und Organisieren, fühlte sich mit vier Kindern und einem kranken Mann, der offenbar unfähig war, die Familie zu ernähren, mehr und mehr überlastet. Sie sah, dass ich die traditionelle Vaterrolle des Ernährers nicht erfüllen konnte. Und so standen Mutter und die Kinder auf der einen und ich auf der anderen Seite des gleichen Problems.

Es war klar, dass es mit den unregelmäßigen Engagements nicht weitergehen konnte. Ich bemühte mich, irgendwo an einem Theater oder einer Rundfunkanstalt eine Daueranstellung zu bekommen, aber vergeblich. Nach wie vor kamen Angebote von Hörfunk und Synchronisation, die aber selten länger als einen Tag dauerten. Das bot keine finanzielle Sicherheit für eine sechsköpfige Familie.

Ich konnte die Umstände, in die ich die Familie gebracht hatte, nicht ändern. Überall stieß ich an Grenzen. Vor allem bei der Jobsuche. Es dominierte die tief verwurzelte Einstellung: keine Experimente. Dies galt für alle Lebensbereiche und besonders für den Umgang mit »Schwarzen« (»Man weiß ja nie«). Nicht-weiße Deutsche wurden als »Fremde« gesehen, eine Haltung, die sich bis in die Gegenwart als sehr hartnäckig erwiesen hat. »Der nimmt einem von uns die Arbeit weg«, diese Einschätzung wurde nur in Zeiten der Hochkonjunktur abgemildert.

Das Theater machte da keine Ausnahme. Sehr oft haben mir Kollegen zu verstehen gegeben, dass ich fehl am Platze sei, wenn ein Regisseur den Mut hatte, auf der Bühne eine »weiße Rolle« mit mir zu besetzen. Im Film gab es für mich überhaupt keine Rollen. Es wurden vorwiegend idyllische Heimatfilme mit schönen weißen Menschen gedreht. Brauchte man wirklich mal einen Schwarzen für eine Rolle, dann wurde eben schwarze Schminke verwendet.

Eigentlich wollte ich nichts weiter, als mich und meine Familie durchzubringen, ohne kriminell werden zu müssen. Ich hätte jede Arbeit angenommen, um dieses Ziel zu erreichen. Aber für eine schriftliche Bewerbung auf eine qualifizierte Stelle fehlten mir die erforderlichen Zeugnisse, und bei persönlichen Vorstellungsgesprächen, auch für ungelernte Tätigkeiten, erschien ich den Arbeitgebern entweder ungeeignet oder überqualifiziert. Das Wirtschaftswunder schien an uns vorbeizulaufen.

Eine solche Situation musste in der stabilsten Familie zu Konflikten und Irritationen führen. So auch bei uns. Die Verschlechterung unserer wirtschaftlichen Lage und meine Unfähigkeit, ausreichend Geld herbeizuschaffen, vergifteten das Klima mehr und mehr. Es gab ständig Streit über Kleinigkeiten mit dem Resultat, dass ich versuchte, so oft wie möglich außer Haus zu sein, um diesen zermürbenden Konflikten zu entgehen.

Endlich eine Chance

1951 wurde, auf Anregung des damaligen französischen Außenministers und früheren französischen Ministerpräsidenten Robert Schuman, zwischen Frankreich, Italien, den Benelux-Staaten und der noch jungen Bundesrepublik der Vertrag über die »Europäische Gemeinschaft für Kohle und Stahl« (Montanunion) abgeschlossen. Das war der historische Ausgangspunkt für die spätere Europäische Union. Im Zuge dieses Vertrages wurde im Mai 1951 im Bundestag das Gesetz über die paritätische Mitbestimmung in der deutschen Montanindustrie beschlossen. Das Mitbestimmungsgesetz sah vor, dass die Vorstände und Aufsichtsräte der Unternehmen in der Montanindustrie mit über 1000 Mitarbeitern zu gleichen Teilen mit Arbeitnehmervertretern besetzt werden müssen. An der Entstehung dieses Gesetzes hatte der Deutsche Gewerkschaftsbund (DGB) und dessen damaliger Vorsitzender Hans Böckler großen Anteil gehabt.

Die in die Vorstände und Aufsichtsräte gewählten DGB-Mitglieder wurden verpflichtet, einen Teil ihrer Aufwandsentschädigungen als Spende in die 1954 gegründete »Stiftung Mitbestimmung« abzugeben. Die Stiftung Mitbestimmung wurde später in »Hans-Böckler-Stiftung« umbenannt bzw. mit dieser zusammengelegt. Von ihr wurden Stipendien für DGB-Mitglieder zur Aufnahme eines Hochschulstudiums ausgegeben.

Ich war 1953 der Genossenschaft Deutscher Bühnenangehöriger (GDBA) beigetreten, die damals mit der Gewerkschaft Kunst im Mitgliedsverband des DGB war. Sie gab eine Monatszeitschrift, die ›Bühnengenossenschaft‹, heraus. Dort las ich im Frühjahr 1958 eine Anzeige, die für die Aufnahme eines Studiums, mit Unterstützung der Stiftung Mitbestimmung, an der Akademie für Gemeinwirtschaft in Hamburg warb. Es sollten sich junge Menschen bis zum Alter von 35 Jahren bewerben, die Mitglied in einer dem DGB angeschlossenen Gewerkschaft waren. Ein Abiturzeugnis wurde ausdrücklich nicht verlangt, aber eine abgeschlossene Berufsausbildung. Voraussetzung sei eine mehrtägige Eignungsprüfung, die über die Studienaufnahme entscheide. Diesbezügliche Bewerbungsunterlagen könnten bei der Akademie direkt angefordert werden.

Ein Abiturzeugnis hatte ich nicht, aber auch keinen Nachweis über eine abgeschlossene Berufsausbildung. Dennoch sah ich in dieser Anzeige die Chance, endlich einen Schulabschluss nachzuholen bzw. die Möglichkeit zur Aufnahme eines Berufes. Also bewarb ich mich, wurde zur Aufnahmeprüfung zugelassen, bestand diese, mit etwa der Hälfte der ursprünglichen Bewerber, erhielt ein Stipendium und nahm im Oktober 1958 das Studium an der Akademie für Gemeinwirtschaft in Hamburg auf. Diese Akademie war 1948 gegründet worden, auf Initiative von Gewerkschaftlern, Genossenschaftlern und Politikern – vor allem Sozialdemokraten –, die nach den Erfahrungen des Dritten Reiches und der Weimarer Republik das deutsche Hochschulsystem reformieren und demokratisieren wollten.

Die Akademie für Gemeinwirtschaft in Hamburg war einmalig in der deutschen Hochschullandschaft. Da sich die äußeren Bedingungen dauernd veränderten, wurde sie 1961 in Akademie für Wirtschaft und Politik und 1970 in Hochschule für Wirtschaft und Politik umbenannt. Zuletzt hieß sie Hamburger Universität für Wirtschaft und Politik. Im März 2005 wurde sie als Department Wirtschaft und Politik der Fakultät Wirtschafts- und Sozialwissenschaften der Hamburger Universität angeschlossen und verlor nach langem Kampf um ihre Selbstständigkeit und zum Bedauern vieler ihrer ehemaligen Absolventen ihren früheren Status. Tatsächlich hat sie vielen Menschen, die infolge der Kriegsereignisse aus ihrer individuellen schulischen bzw. beruflichen Bahn geworfen worden waren, geholfen, neue Wege zu finden. Das ist ein bleibendes Verdienst. Die Dauer des Studiums war auf zwei Jahre beschränkt und es fand seinen Abschluss in einer staatlichen Prüfung als »Volkswirt« bzw. »Betriebswirt«. Neben den beruflichen Möglichkeiten der Wirtschaftswunderzeit konnte man bei entsprechender Qualifikation an einer »ordentlichen« Hochschule weiterstudieren.

Wir waren damals keine rebellischen Studenten. Die Mehrheit von uns war einfach nur froh und glücklich, dass wir überhaupt eine Chance für einen Neuanfang bekamen. Aber es war auch nicht viel Zeit für das übliche Studentenleben. Das Studium war wegen seiner Kürze sehr komprimiert und eher schulisch angelegt, anders als das damals übliche Hochschulstudium. Ich stürzte mich mit Vehemenz hinein. Es wurden vier Fächer gelehrt: Volkswirtschaft, Betriebswirtschaft, Soziologie und Rechtswissenschaft. In der Rechtswissenschaft standen das Arbeitsrecht, das Bürgerliche Gesetzbuch und das Handelsrecht im Vordergrund. An der Akademie lehrten damals hervorragende Professoren. So Hans-Dietrich Ortlieb, Georg Hummel, Bruno Molitor in der Volkswirtschaft. Karl Schiller hatte ich zu meinem Bedauern gerade verpasst. Am fruchtbarsten war aber für mich die Soziologie, die von Ralf Dahrendorf vertreten wurde. Er war ein paar Jahre jünger als ich und ein Musterbeispiel für einen hervorragenden Wissenschaftler, der durchaus politisch engagiert war, sich aber von niemandem festlegen ließ. Gleich zu Anfang des Studiums hatte ich sein gerade erschienenes Buch ›Soziale Klassen und Klassenkonflikte in der industriellen Gesellschaft‹ gelesen und Karl Marx, mit dem ich mich auch lange beschäftigt hatte, zum ersten Mal verstanden.

Nie habe ich eine Aussage von Dahrendorf vergessen, die er in seiner ersten Vorlesung machte: »Jede Gesellschaft befindet sich zu jedem Zeitpunkt in jeder möglichen Wandlung.« Heutzutage klingt das selbstverständlich. Das war es damals, kurz nach dem Untergang des für tausend Jahre vorgesehenen und nur zwölf Jahre existierenden »Dritten Reichs« aber keineswegs. Es bedeutete nämlich, dass jede Ordnung, ob negativ oder positiv, und sei sie scheinbar noch so fest gefügt, sich ständig wandeln und verändern konnte. Von Dahrendorf lernte ich, dass auch »Unordnung« eine Ordnung sein kann und es dabei nur auf den jeweiligen Standort ankommt. Ich begriff, dass »Chaos« auch eine Qualität sein konnte. Er eröffnete mir ein freies Denken in ganz neuen Dimensionen, das mir später in meinen folgenden Berufen so nützlich war. Von allen meinen Lehrern war er derjenige, dem ich am meisten zu verdanken habe. Nun las ich nicht nur vorwiegend Bücher über Afrika, sondern auch von Autoren wie Max Weber, Helmut Schelsky, Eduard Heimann, Paul Samuelson, Erich Schneider und John Maynard Keynes. Aber auch Hannah Arendt und Max Bloch lernte ich in dieser Zeit schätzen, von Hannah Arendt besonders ihr bedeutendes Werk ›Elemente und Ursprünge totaler Herrschaft‹.

Dahrendorf war ein Mensch, der nicht auf Äußerlichkeiten achtete. Tagaus, tagein trug er dieselbe Krawatte. Aus diesem Grund schenkte ich ihm zusammen mit ein paar anderen Absolventen zum Abschluss der Studienzeit eine neue Krawatte. Die Nachricht von seinem Tod im Alter von 80 Jahren in Köln im Juni 2009 hat mich sehr getroffen.

Das Studium in einer weit entfernten Stadt war nicht dazu geeignet, die bereits entstandene Entfremdung zwischen meiner Frau und mir wieder aufzulösen. Lange Trennungen sind Gift für Partnerschaften und die betroffenen Familien, und bei mir war noch der lange Sanatoriumsaufenthalt vorausgegangen. De facto hatte Friedel ohnehin schon die Führung unserer Familie übernommen. Ich war froh, dass ich dem wachsenden Druck entfliehen konnte. Meine Studienzeit in Hamburg eröffnete mir neue Horizonte und neue Freundschaften. Die Semesterferien waren mit schriftlichen Arbeiten ausgefüllt, die umfangreiche Recherchen notwendig machten. Ich drückte mich vor den Heimfahrten nach Butzbach, wann immer ich konnte.

Im Oktober 1960 schloss ich mein Studium mit einem Staatsexamen ab, das in etwa einem Diplom entsprach und später auch offiziell als solches anerkannt wurde. Das Thema meiner Abschlussarbeit hatte ich mir selber aussuchen dürfen. Es lautete ›Die Problematik der Infrastruktur in unterentwickelten Ländern‹ und erforderte sehr viel Literatur-Recherche. In deutscher Sprache gab es damals kaum Literatur und auch relativ wenig in Englisch. Die französische Sprache beherrschte ich zu diesem Zeitpunkt noch nicht gut genug, um ganze Artikel lesen zu können.

Die Entkolonialisierung Afrikas

Im Jahr 1960 begann das Jahrzehnt der afrikanischen Unabhängigkeit. Die britische Kronkolonie Goldküste war zwar als Ghana unter Kwame Nkrumah bereits 1957 unabhängig geworden, aber im britischen Commonwealth verblieben. 1926 waren alle ehemaligen deutschen Schutzgebiete dem Völkerbund in Genf unterstellt worden. Dieser bestellte die Kolonialmächte Großbritannien, Frankreich und Belgien als sogenannte Mandatsmächte für diese Gebiete. Diese Mandatsmächte verwalteten sie wie integrale Bestandteile ihrer eigenen Kolonialgebiete. 1946 nach Gründung der Vereinten Nationen wurden die ehemaligen deutschen Kolonialgebiete dann diesen unterstellt. Es war Kamerun, das Heimatland meines Vaters, das am 1. Januar 1960 den Reigen der unabhängigen Staaten Afrikas eröffnete. Im April folgte Togo und im Juni wurden der ehemalige belgische Kongo sowie Rwanda und Burundi unabhängig.

Auf der Suche nach meinen Wurzeln hatte ich mich ja schon lange für Afrika interessiert und entsprechende Literatur gelesen. Ich verfolgte diese Entwicklung mit größtem Interesse. Deshalb hatte ich mich auch für das Thema meiner Abschlussarbeit entschieden. Wie vorher gesagt, gab es damals wenig greifbare Informationen und kaum Literatur auf dem aktuellen Stand, schon gar nicht auf Deutsch. Es gab noch nicht einmal den Begriff »Entwicklungsland«. Deshalb auch die heute diskriminierend wirkende Bezeichnung »unterentwickelt« im Titel meiner Arbeit.

Für jeden denkenden Menschen musste jedoch klar sein, dass ein Land ohne funktionierende Infrastruktur, ohne eine etablierte

Verwaltung und ein ordentliches Bildungswesen in Schwierigkeiten kommen würde. Das Paradebeispiel dafür war Belgisch-Kongo. Das Land wurde in eine Art politische Scheinunabhängigkeit entlassen. Die Belgier wollten alle wichtigen Strukturen und Positionen in eigenen Händen behalten. Zum Zeitpunkt der Unabhängigkeit gab es dort höchstens eine Handvoll einheimischer Akademiker, es gab keinen schwarzen Beamten im höheren Dienst und keinen schwarzen Offizier, nur ein paar Feldwebel. Die Folgen waren katastrophal. Das konnte ich bei einem Besuch dort ein Jahr später selbst beobachten.

Die zukünftigen neuen Staaten hätten eigentlich sowohl auf die politische wie auch auf die wirtschaftliche Unabhängigkeit vorbereitet werden müssen. Wie sie in Zukunft regiert wurden, dafür waren einerseits natürlich die zukünftigen Regierungschefs zuständig, andererseits aber auch die Kolonialmächte, die die Grundlagen dafür schaffen mussten. Den Briten ist das mit ihren Mandatsgebieten und Protektoraten wie Tanganyika, Sansibar oder Uganda besser gelungen als mit ihren afrikanischen Kronkolonien wie Kenia. Die von De Gaulle 1958 gegründete Communauté Française, die Französische Gemeinschaft mehrerer ehemaliger französischer Kolonien, erschien mir damals eher beispielhaft, auch im Hinblick auf das gemeinsame Finanzsystem. Doch auch Paris wollte in den neuen afrikanischen Staaten die Zügel nicht aus der Hand lassen. Als sich die Republik Guinea unter ihrem Präsidenten Sékou Touré gegen die Gemeinschaft entschied, gab es sofort Sanktionen, vorwiegend in der Infrastruktur. Wichtige Einrichtungen wurden abgezogen, einschließlich der französischen Beamten, das Land wurde aus dem gemeinsamen Geldsystem ausgeschlossen.

Föderalistische Konzepte und die Frage, wie und ob sie funktionieren konnten, wenn es sich um ethnisch unterschiedliche staatliche Einheiten handelte, interessierten mich sehr. Darüber wollte ich mehr wissen.

Studium in Paris

Für mich stand fest, dass ich nach Beendigung des Studiums im Bereich »Afrika« tätig sein würde. Wie genau, wusste ich noch nicht recht, hatte aber eine journalistische Tätigkeit im Sinn. Noch allerdings wusste ich zu wenig über das neue, aus der Kolonialzeit aufbrechende Afrika und seine Menschen. Die Beobachtungen und Erfahrungen mit meinem afrikanischen Vater und seinen »Landsleuten« in der Diaspora der Weimarer Republik lagen schon Jahrzehnte zurück und halfen mir im Hinblick auf die Zukunft nicht wirklich weiter. Im Dritten Reich waren Afrikaner und deren Nachkommen gar nicht als »richtige« Menschen betrachtet worden, und in den USA waren die Afro-Amerikaner, die damals noch nicht so genannt wurden, ebenfalls Menschen zweiter Klasse. All dies beschäftigte mich sehr.

Darüber wollte ich unbedingt mehr wissen. Ich beantragte bei der Stiftung Mitbestimmung ein Stipendium für ein Ergänzungsstudium, ein Studienjahr an der Universität von Paris. Es wurde mir bewilligt. Im November 1960 nahm ich als »Auditor libre«, als Gasthörer gewissermaßen, das Studium am »Institut d'Hautes Etudes du Developpement Economique et Social« auf. Das Institut war aus der früheren Hochschule der Überseegebiete hervorgegangen, an der die Verwaltungsbeamten für die höhere Laufbahn in den französischen Kolonialgebieten ausgebildet worden waren. Zu meiner Zeit studierten dort vorwiegend die zukünftigen Führungskräfte der frankofonen neuen Staaten Afrikas. Sowohl in den Vorlesungen und Seminaren als auch in vielen Gesprächen mit den jungen Afrikanern veränderte sich mein eigentlich nur von der deutschen Kolonialliteratur geprägtes Afrikabild völlig. Auch die frankofone Literatur aus Afrika war mir eine große Hilfe.

Von dem afrikanischen Politiker und Literaten Léopold Sédar Senghor wusste ich schon, bevor ich nach Paris ging. Ich kannte ihn aus den Übersetzungen von Jan Heinz Jahn, einem Schriftsteller, der seit den Fünfzigerjahren afrikanische Literatur in Deutschland bekannt machte, mehr als 50 Jahre, nachdem der Ethnologe und Afrikareisende Leo Frobenius in München sein »Afrika-Archiv« gegründet hatte. Doch erst nun wurde mir bewusst, welche Bedeutung ein Mann wie Senghor auch für die neue politische und intellektuelle afrikanische Elite hatte. Von afrikanischen Studenten hörte ich zum ersten Mal den Begriff »la Négritude«. Zuerst war ich fast entsetzt, weil das übersetzt »das Negerhafte« oder »das Negerische« heißen würde. Im anglofonen afrikanischen Sprachraum wurde das auch so empfunden, wie ich später feststellte, und eher abgelehnt.

Ich lernte aber schnell, den Begriff positiv zu sehen, als ich von der kulturmorphologischen Seite her an die Négritude heranging. Eines meiner Schnäppchen in den Frankfurter Buchantiquariaten war ein Buch von Leo Frobenius gewesen. Es war 1933 in dem Züricher Phaidon Verlag erschienen und trug den Titel ›Kulturgeschichte Afrikas‹. 1998 hat es in Deutschland der Peter Hammer Verlag noch einmal neu herausgebracht. Auch die umfangreichen Sammlungen afrikanischer Märchen von Frobenius mochte ich sehr. Mit einem Werk von ihm, ›Paideuma. Umrisse einer Kultur- und Seelenlehre‹ konnte ich allerdings zunächst nicht viel anfangen. Erst als ich mich mit Dahrendorfs Aussage »vom ständig sich verändernden Wandel der Kulturen sowie ihren gegenseitigen Beeinflussungen« näher beschäftigte, begriff ich, dass Frobenius zu einer Zeit, in der afrikanische Völker nur unter dem Gesichtspunkt der »Primitivität« betrachtet wurden, den unterschiedlichen afrikanischen Kulturen jeweils ein »Paideuma«, also eine eigene Kulturseele, zugesprochen hatte. Die aus den französischen Kolonien in Afrika und der Karibik stammenden Studenten Leopold Sedar Senghor, Aimé Césaire, und Léon-Gontran Damas, kannten die französische Übersetzung der ›Kulturgeschichte Afrikas‹, Histoire de la Civilisation Africaine, die 1938 bei Gallimard in Paris erschienen war. Mit Sicherheit hatten sie, wie alle damals in Europa lebenden Menschen afrikanischer Herkunft, rassistisch motivierte Demütigungen erlebt und waren erstaunt, dass ausgerechnet ein Deutscher, wie Senghor später schrieb, »Afrika seine Würde und seine Identität« wieder zurückgegeben hatte. Und so wurde Frobenius, wie ich es einmal in einem Artikel ausdrückte, zum »unbekannten Großvater der Négritude«. Senghor, der bei Kriegsbeginn als Leutnant in der französischen Armee diente, geriet 1940 in deutsche Kriegsgefangenschaft. Trotzdem hat er nie seine Affinität zu Deutschland, vor allem aber zur deutschen Literatur, verloren. Für mich war es sehr beschämend, dass er, als ihm, dem Präsidenten der Republik Senegal, 1968 in Frankfurt der Friedenspreis des Deutschen Buchhandels verliehen wurde, von deutschen Studenten übel beschimpft wurde.

Er und seine Mitstreiter gehörten zu jenen jungen Männern, die aus den afrikanischen und karibischen Überseegebieten nach Paris gekommen waren, um an dem teilzuhaben, wofür Europa in der übrigen Welt beneidet wurde: Wohlstand, Kultur und Fortschritt auf allen Gebieten. Die dunkle Seite Europas aber war das Bild von der Kulturlosigkeit Afrikas und der Primitivität seiner Menschen, das zur Verteidigung des Sklavenhandels und später der Kolonialisierung und Ausbeutung geprägt worden war. Davon leitete sich die Vorstellung von der Überlegenheit der »weißen Rasse« ab, die deshalb zur Herrschaft über die Welt und die »anderen Rassen« bestimmt sei. Diese Auffassungen dominierten bis in die zweite Hälfte des 20. Jahrhunderts hinein. Die Rassentrennungsgesetze in den Südstaaten der USA und die Apartheid in Südafrika sind markante Bespiele für die lange Existenz dieser Ideologie.

»La négritude« war ein Aufruf an die in alle Welt verstreuten »schwarzen Menschen«, zur Rückbesinnung auf ihre Wurzeln und die Werte afrikanischer Kultur und Kulturen. Aimé Césaire hatte den Begriff zum ersten Mal verwendet, 1935 in der Studentenzeitschrift »L'Etudiant Noir«. Der Begriff wurde von der damals noch recht kleinen schwarzen Studentengemeinde in Paris als politische Alternative zum französischen Assimilationsangebot und als eigene Identifikationsmöglichkeit verstanden. Heute würde ich Négritude mit »Afrikanität« übersetzen und sehe sie politisch und kulturell als Gegenpol zur europäischen Arroganz und Dominanzbestrebung.

1960/61, als die Entkolonialisierung begann, herrschte in Paris unter den Menschen mit afrikanischem Hintergrund, besonders unter den Studenten, eine oft begeisterte, hoffnungsvolle Aufbruchsstimmung. Sie wurde zum Teil getrübt durch die Stimmung der Menschen aus den Maghrebländern Marokko, Algerien, Tunesien. Denn auf den Straßen von Paris gab es damals oft gewalttätige Auseinandersetzungen zwischen den rivalisierenden nordafrikanischen politischen Gruppierungen, die ihrerseits einen gemeinsamen Kampf gegen die französische Polizei austrugen.

Mein Jahr in Paris war voller neuer Eindrücke und Informationen, ein Quell des Wissens und neuer Erkenntnisse. Die gewann ich einerseits durch Lektüre, unter anderem auch der verschiedenen Informationsblätter der afrikanischen Studentenverbände, sowie der bereits renommierten Zeitschrift ›Présence Africaine‹ und der gerade gegründeten ›Jeune Afrique‹. Aber ebenso wichtig waren lange Gespräche mit »hommes du couleurs«, nicht-weißen Menschen. Sie zählten mich zu den Ihren und ich fühlte mich ihnen zugehörig. Endlich hatte ich wieder festen Boden unter den Füßen. Seit dem Tod meines Vaters hatte ich praktisch nur unter »Weißen« gelebt, ich hatte nirgendwo dazugehört. In Paris hatte sich das geändert.

Es war ein schönes Leben dort. Ich bewohnte ein kleines Zimmer im obersten Stock eines alten bürgerlichen Mietshauses im 16. Arrondissement mit einer strengen Concierge, die alle, die aus und ein gingen, kontrollierte. Es gab auch einen – allerdings sehr klapprigen – Fahrstuhl. Juliana, die immer noch in Paris lebte, hatte mir dieses Zimmer zu günstigen Bedingungen vermittelt. Morgens ging ich in die Sprachenschule Alliance Française, um meine Sprachkenntnisse zu verbessern. Meine Vorlesungen an den verschiedenen Instituten fanden meistens nachmittags und abends statt. Samstags und sonntags trieb ich mich bei den Bouquinisten am Seine-Ufer oder auf dem Flohmarkt an der Porte de Clignancourt herum und suchte nach Schnäppchen in Form von interessanten Büchern und Landkarten. Oft fand ich auch etwas. Das größte Vergnügen bereitete mir dabei das Feilschen. Das hatte ich ja von meinem Vater gelernt. Darauf konnte ich mich allerdings nur einlassen, wenn Juliana nicht dabei war. Sie hatte das genauso wie James schon in ihrer Kindheit gehasst.

Neuanfang

Mein Jahr in Paris ging zu Ende. Das Stipendium der Stiftung Mitbestimmung war ausgelaufen und die Bundesversicherungsanstalt hatte die Arbeitsunfähigkeitsrente eingestellt. Ich müsse von meinem Gesundheitszustand her inzwischen »in der Lage sein, leichte Arbeiten zu verrichten«. Natürlich hatten sie recht. Wenn ein Mensch ein schwieriges Studium zum erfolgreichen Abschluss bringen kann, muss er auch in der Lage sein, für sich und seine Familie aufkommen zu können. Schließlich ist mir die Rente ja nicht für das Studium, sondern aufgrund einer Krankheit bewilligt worden. Ich musste also erneut Entscheidungen für die Zukunft treffen und es gab keine Ausflüchte mehr.

Während ich mir die Türen zu mehr Wissen und zur Welt geöffnet hatte, um neue Erkenntnisse zu gewinnen, waren Friedel und die Kinder in den engen Wohnverhältnissen in der Kleinstadt Butzbach zurückgeblieben. Friedel ging auf in ihrer Rolle als Mutter von vier Kindern, die noch dazu aufgrund ihrer Abstammung ihren besonderen Schutz benötigten. Sie tat alles, um dieser Rolle gerecht zu werden. Ich dagegen, der Ehemann und Vater, war die meiste Zeit nicht da, bedingt durch meine Arbeit, durch meine Krankheit, durch mein Studium. Gelegentlich tauchte ich auf und fand immer schnell Gründe, wieder zu verschwinden. So sahen es zumindest die Betroffenen, und sie hatten – von ihrer Seite her – auch recht.

Außerdem hatten sich die familiären Umstände in der Zwischenzeit auch in anderer Hinsicht geändert. Friedels Vater hatte das Rentenalter erreicht. Zwischen der Volksrepublik Polen und der Bundesrepublik war 1957 eine Übereinkunft geschlossen worden, nach der Deutsche aus Polen im Rahmen der Familienzusammenführung in die Bundesrepublik ausreisen konnten, wenn von dort ein entsprechender Antrag gestellt wurde. Einen solchen Antrag hatten wir gestellt, obgleich das Wohnungsamt der Stadt Butzbach uns wissen ließ, dass sie für diese Erweiterung der Familie keinen Wohnraum zur Verfügung stellen können. Wir müssten schon selber sehen, wie wir diese Verwandten unterbringen.

Albert Franke und seine zweite Frau Marie, Friedels Stiefmutter, sowie der gemeinsame Sohn Johannes, der nur ein paar Monate älter war als unser Sohn Roy-Peter, trafen nach langem Papierkrieg mit den polnischen Behörden, im Dezember 1958 in Butzbach ein. Unsere Wohnung am Ebersgönserweg, die bereits für uns sechs zu klein war, musste nun Heimat für neun Personen werden. Es dauerte fast zwei Jahre, bis die Schwiegereltern nach zahlreichen schriftlichen und persönlichen Eingaben vom Wohnungsamt schließlich doch eine eigene Wohnung in der Nähe zugewiesen bekamen. Dass ich in dieser Zeit zum Studium in Hamburg war und nur sporadisch nach Hause kam, war so betrachtet ein Glücksfall. Friedel musste sich in der Familie wie gegenüber ihren Eltern, die sie sehr lange nicht mehr gesehen hatte, als Familienoberhaupt durchsetzen. Das gelang ihr auch. Sie war an ihren Aufgaben gewachsen.

Als ich aus Paris zurückkam, war ich ebenfalls gewachsen, an Kenntnissen und Wissen. Meine Rolle als Ehemann und Familienvater war mir eher abhandengekommen. Aber es wurde von mir erwartet, dass ich diese Aufgaben und Verpflichtungen wieder übernahm. Die lange schwelende Entfremdung zwischen Friedel und mir kam nun endgültig zum Ausbruch. Wir wussten beide nicht, wie es weitergeht, und führten lange Gespräche darüber. Dabei bemühten wir uns, diese Auseinandersetzungen vor der Familie geheim zu halten. Wir wurden uns einig, dass eine Trennung angesichts unserer vier Kinder mit dunkler Hautfarbe ausgeschlossen war. Wir kamen zu dem Schluss, dass wir in ihrem Interesse zusammenbleiben und einen Neuanfang wagen wollten. Dieser Beschluss war bindend und wir haben beide an seinem Gelingen gearbeitet. Dass unsere Ehe aber wirklich noch weitere 32 Jahre hielt, bis zum Unfalltod von Friedel 1993, war vor allem ihr Verdienst.

Das Kriegsende lag nun schon mehr als 15 Jahre zurück, aber der Krieg war noch ständig gegenwärtig. Jede vierte Person war vertrieben, Flüchtling, ausgebombt oder anderweitig betroffen. Es gab kaum eine Familie, die in diesem Krieg nicht mindestens ein Mitglied verloren hatte. Noch immer waren die Trümmer in den Städten nicht völlig beseitigt. Die älteren Menschen hatten sich, wenn auch oft zähneknirschend, weitgehend mit den Folgen der Niederlage, der Zweiteilung Deutschlands und dem weiteren Verlust eines Viertels des früheren Staatsgebietes abgefunden. »Nie wieder Krieg«, das dachten nicht nur die Jüngeren. Der bei allen vorhandene Wunsch nach Normalität, nach Aufbruch und Neuanfang war es, der das im Ausland viel bewunderte »deutsche Wirtschaftswunder« möglich machte. Die Flüchtlinge und Vertriebenen hatten großen Anteil daran, ohne dass das weiter thematisiert wurde.

Es war anders als nach dem ersten, ebenfalls verlorenen Krieg des Jahrhunderts. Es gab keine »Dolchstoßlegende«, keine Behauptung, dass Deutschland eigentlich nicht besiegt und die Schuld an der Niederlage, der Verrat der Heimat an der Front gewesen sei. Wenn das Attentat vom 20. Juli 1944 geglückt wäre, wäre es vielleicht wieder so weit gekommen. Doch das war nicht der Fall gewesen, die militärische und politische Niederlage des Deutschen Reiches war 1945 total.

Mein Schwiegervater, mit dem ich mich von Anfang an prächtig verstand, war erstaunt, als er in der Bundesrepublik nicht die revanchistische Stimmung vorfand, wie sie von der kommunistischen Presse in Polen verbreitet wurde. Es gab auch unter den Vertriebenen keine relevanten Gruppierungen, die ernsthaft darüber nachdachten, die verlorenen Ostgebiete mit Gewalt zurückzuholen. Das wäre auch schon deshalb nicht möglich gewesen, weil die Alliierten es nicht zugelassen hätten. Doch Albert Franke konnte anfangs nicht verstehen, dass die Bonner Politiker keine Politik des Revanchismus verfolgten.

Die Regierungen beider deutscher Länder mussten, eingebunden in ihre jeweiligen Blöcke, ihren Platz in der Welt finden, d.h. aber auch im Hinblick auf die neuen Länder in der sogenannten »Dritten Welt«. Dabei hatte die Bundesrepublik, vor allem durch ihre sich gewaltig entwickelnde Wirtschaftskraft, größeren politischen Spielraum als die DDR. Fast unbemerkt von der (west-)deutschen Öffentlichkeit entwickelten die neuen Staaten eine gewisse Bewunderung für dieses Deutschland, für die BRD, die es innerhalb weniger Jahre geschafft hatte, sich aus der totalen Zerstörung nicht nur ihrer wirtschaftlichen Ressourcen heraus zu einer großen Wirtschaftsmacht zu entwickeln und dabei ihre ehemaligen Kriegsgegner, die teilweise erhebliche Probleme mit ihrem kolonialen »Ballast« hatten, hinter sich zu lassen.

Die Deutschen strengten sich sehr an, wieder nach oben zu kommen, wieder wer zu sein, vor allem unter den europäischen Völkern. In diesem Zusammenhang hörte man oft die Meinung: »Ein Glück, dass sie uns die Kolonien schon 1919 abgenommen haben, damit haben *wir* ja heute nichts mehr zu tun.« Dass es noch Menschen und ihre Abkömmlinge aus der deutschen Kolonialzeit gab, verschwand fast völlig aus dem deutschen Nachkriegsbewusstsein.

Bei aller Bewunderung für das Nachkriegsdeutschland blieb den jungen afrikanischen Eliten die Existenz der zwei – streng voneinander getrennten – Staaten oft rätselhaft. Alles, was mit dem Begriff »deutsch« verbunden war, erschien nicht recht fassbar und auch irgendwie unheimlich. Lange Zeit glaubten nicht wenige Menschen in Afrika, die Deutschen verfügten über die Fähigkeit, Wunder zu tun. Ich traute meinen Ohren nicht, als mir diese Frage zum ersten Mal von einem jungen afrikanischen Intellektuellen allen Ernstes gestellt wurde.

Anfang der Sechzigerjahre gab es nur wenige »Afrikanisten« in der Bundesrepublik. Sie kamen aus dem ethnologischen, künstlerischen und sprachwissenschaftlichen Bereich und fühlten sich nur ihrer eigenen Wissenschaft verpflichtet. Vom aktuellen politischen und ökonomischen Geschehen hielten die meisten sich fern. Die interdisziplinäre Afrikawissenschaft war noch nicht geboren. Historiker und Soziologen wie Franz Ansprenger (›Politik im Schwarzen Afrika‹, 1961), Imanuel Geiss (›Panafrikanismus‹, 1968), Gerhard Grohs und der Schweizer Jean Ziegler waren es, die außerhalb ihrer eigentlichen Fachgebiete für die Anfänge der Afrikawissenschaften standen. In der Journalistik sah es ähnlich aus. Nur die Deutsche Welle, der Auslandsrundfunk der Bundesrepublik, hatte in den Sechzigerjahren eine Afrika-Abteilung eingerichtet, in der deutsche und afrikanische Journalisten zusammenarbeiteten. Die Journalistik im Allgemeinen war anfänglich nicht auf die Dekolonisation und deren Folgen vorbereitet. Entsprechend war die Berichterstattung. Als Obervolta, heute Burkina Faso, 1960 unabhängig wurde, schrieb ein namhafter deutscher Journalist, es handle sich um eine deutsche Kolonie, die die ehemaligen Reichsfarben Schwarz/Weiß/Rot für ihre Fahne gewählt habe. Aber das Land war nie eine deutsche Kolonie, sondern eine französische, und die Farben gehen auf die drei Quellflüsse des Voltastromes, die in diesem Land liegen, zurück. Es gab unzählige solcher Vorgänge. Die Afrika-Berichterstattung war damals eine einzige Katastrophe. Das änderte sich erst ab den siebziger Jahren und nachdem die großen Zeitungen sich eigene Afrika-Korrespondenten leisteten.

Das ›Afrika-Bulletin‹

Nach dem Ende meines Studiums fand ich bei einem Unternehmen für Wirtschaftszeitschriften in Köln eine feste Anstellung mit einem monatlichen Gehalt. Ich suchte mir dort in Untermiete ein Zimmer, arbeitete montags bis freitags in Köln und fuhr zum Wochenende nach Butzbach zur Familie. Denn die Wohnungssuche in Köln entwickelte sich zu einem Problem. Vermieter, die wir ansprachen, weigerten sich fast immer, eine Familie mit vier Kindern aufzunehmen, wobei der Vater schwarz und die Mutter Flüchtling war. Nach langem Suchen und mithilfe einer genossenschaftlichen Wohnungsgesellschaft konnten wir 1963 mit unserer großen Familie ein kleines Reihenhaus beziehen.

Mitte der Sechzigerjahre lernte ich Bertram Otto kennen, den Verleger des Bonner Berto-Verlags, der hauptsächlich christlich orientierte Bücher herausbrachte, aber nun sein Herz für das neue Afrika entdeckt hatte. Ihm war es gelungen, Zuschüsse für eine neue Zeitschrift in deutscher Sprache lockerzumachen, die über politische, wirtschaftliche und kulturelle Ereignisse in Afrika berichten sollte. Er bot mir eine Stellung als verantwortlicher Redakteur an, denn ihm war bekannt, dass ich verhältnismäßig viel über dieses Thema wusste. Ich überlegte nicht lange und nahm diese großartige Aufgabe an. Wir kamen zwar aus unterschiedlichen politischen Lagern, aber in Bezug auf Afrika verstanden wir uns von Anfang an bestens. Wir wollten beide das falsche Bild Afrikas und seiner Menschen in der deutschen Öffentlichkeit korrigieren.

Durch den Kalten Krieg bekam der Einstieg in die Berichterstattung über Afrika noch eine besondere Brisanz. Der Kalte Krieg spaltete die Welt in zwei Lager, in Freund und Feind. In diesen Konflikt wollten die jungen afrikanischen Länder eigentlich nicht hineingezogen werden. Aber sie brauchten Hilfe und Unterstützung für den Aufbau ihrer Staatswesen und suchten sie bei beiden Blöcken.

Die finanziellen Mittel für das ›Afrika-Bulletin‹ waren sehr beschränkt. Der Verlag hatte für die Redaktion drei Räume in Köln angemietet. Bertram Otto musste kostengünstig vorgehen. Das betraf auch die Suche nach geeigneten und bezahlbaren Mitarbeitern. Es mussten Menschen sein, die mehr an der Sache als am Einkommen interessiert waren. Am Anfang waren wir nur zu zweit und schrieben Artikel unter unterschiedlichen Pseudonymen, um zu verschleiern, dass die ganze Redaktion nur aus zwei Autoren und einer Sekretärin bestand. Aber wir erhielten bald Unterstützung von anderen Interessierten, vor allem Journalisten aus der Afrika-Abteilung der Deutschen Welle, die uns ausgezeichnete Artikel zur Veröffentlichung anboten. Etwas Besseres konnte uns nicht passieren. Natürlich wurden wir auch von vielen Afrikanern, vor allem aus Ghana und Nigeria besucht, die hier gestrandet waren und nun Hilfe benötigten. Wir konnten ihnen nicht weiterhelfen, außer mit den Adressen ihrer Botschaften und guten Ratschlägen.

Die internationalen Nachrichtenagenturen schütteten Informationen über Afrika aus, die für die deutschen Medien nicht interessant waren, weil sie nicht in ihr Gesamtbild passten. Für uns traf das nicht zu. Das Nachrichtenaufkommen war nach einem Jahr so groß, dass der Verleger beschloss, neben dem ›Afrika-Bulletin‹ noch einen ›Afrika-Schnellbrief‹ herauszugeben. Damit kam im Wechsel jede Woche eine Afrika-Publikation heraus. Es bedeutete aber für uns eine gewaltige Menge Mehrarbeit. So etwas wie einen Achtstundentag gab es leider bei uns überhaupt nicht.

Gedruckt wurde das Bulletin zu Freundschaftspreisen in einem kleinen Einmannbetrieb in meiner Kirchengemeinde. Das war insofern besonders günstig für mich, weil ich zur sonntäglichen Korrekturlesung einen kurzen Weg hatte. Das Heft musste am Montagmorgen zum Versand fertig gemacht werden. Den Schnellbrief stellten wir auf dem Matrizendrucker selbst her.

Terra incognita

Afrika war in der deutschen Publizistik bis auf Weiteres eine Terra incognita. Aber nicht nur in der Publizistik, auch in der Politik. Wenn es um das Stichwort »Afrika« oder »afrikanische Länder« ging, dann war in der Regel Südafrika gemeint. Dieses Land war eine wirtschaftliche Großmacht *in* Afrika, aber keine afrikanische. Ein Land mit Rassentrennung, das von einer oligarchischen europäischen Oberschicht regiert wurde. Es hatte bereits 1931 eine eigene von London unabhängige Gesetzgebung und trat 1961 vor allem wegen seiner Apartheidspolitik aus dem britischen Commonwealth aus. Südafrika war aber auch Aufnahmeland für viele deutsche Emigranten gewesen, sowohl während der Nazizeit als auch danach. Deshalb war es in den deutschen Medien sehr präsent.

Dass eine Politik und Gesetzgebung wie die südafrikanische praktisch eine Variante der gerade überwundenen rassistisch bestimmten Naziherrschaft darstellte, war Mitte des 20. Jahrhunderts im Bewusstsein der deutschen Öffentlichkeit noch nicht angekommen. Die südafrikanischen Medien waren sehr auf die positive Darstellung ihres Landes und seiner Apartheidpolitik bedacht und gerierten sich als besondere Freunde Deutschlands. In den südafrikanischen Medien zeigte man nach dem Krieg oft Verständnis für die rassistische Politik des Dritten Reichs.

Damals war Dr. Eugen Gerstenmaier Bundestagspräsident. Er war auch Präsident der 1952 gegründeten Deutschen Afrika-Gesellschaft. Dieser Gesellschaft, die erst 1978 aufgelöst wurde, gehörte übrigens kein einziger Afrikaner an. Als Präsident dieser Gesellschaft wurde Gerstenmaier offiziell nach Pretoria eingeladen und sollte unter anderem eine Rede vor dem südafrikanischen Parlament halten. Er sollte also vor einem oligarchischen Parlament sprechen, von dem die Mehrheit der einheimischen Bevölkerung aufgrund rassistischer Gesetze ausgeschlossen war. Als besonderer Anreiz wurde ihm, der ein begeisterter Jäger war, zusätzlich eine Elefantenjagd angeboten. Zum Glück wurde diese Reise kurzfristig abgesagt, weil in den deutschen Medien, auch im ›Afrika-Bulletin‹, dagegen Protest erhoben wurde.

Dieser Vorgang war beispielhaft für das damalige politisch naive Denken in der deutschen Öffentlichkeit in Fragen afrikanischer Politik, sogar in der politischen Führung. Eigentlich hätten spätestens beim Protokoll des Auswärtigen Amtes bei der Vorbereitung dieser Reise die Alarmglocken läuten müssen. Was wollte die südafrikanische Regierung mit dieser Einladung erreichen? Was sonst, als international den Eindruck erwecken, dass die Bundesrepublik der südafrikanischen Apartheidpolitik zustimmt? Es wäre international und auch bei den Alliierten der Eindruck entstanden, die BRD halte nach wie vor an nazistisch-rassistischen Vorstellungen fest. Das hatten aber weder Eugen Gerstenmaier, der aktiv am Widerstand gegen Hitler beteiligt gewesen war, noch die Bundesrepublik verdient.

Afrikanische Beziehungen

Im Lauf der Sechzigerjahre gab es immer mehr afrikanische Botschaften in Bonn. Bertram Otto und ich bauten systematisch die Beziehungen zu ihnen auf und hielten ständigen Kontakt zu den afrikanischen Diplomaten, die aber oft weniger über überraschend eingetretene Ereignisse in ihren Ländern wussten als wir. Wir versuchten objektiv zu bleiben, scheuten aber nicht vor notwendiger Kritik bei Missständen und Ereignissen zurück, in Afrika wie auch in Europa. Bei Staatsbesuchen, Veranstaltungen und Empfängen in Bonn waren wir dennoch gern gesehene Gäste.

Über Jean-Bédel Bokassa, Präsident der Zentralafrikanischen Republik (ZAR), der – auch mit afrikanischer Brille gesehen – eine seltsame Politik betrieb und überhaupt ein eigenartiger Mensch war, hatten wir zum Beispiel eine französische Agenturmeldung veröffentlicht. Es ging da um einen Ankauf von Orden in einem Pariser Geschäft. Bokassa war auch einer der afrikanischen Staatschefs, die gegen die Hallstein-Doktrin verstoßen hatten. Er hatte die DDR anerkannt und diplomatische Beziehungen zu Ostberlin aufgenommen. Das war unserer Meinung nach sein gutes Recht. Die deutsch-deutschen Querelen gingen ihn ja wirklich nichts an, und ich bin ziemlich sicher, dass er sie auch nicht verstand. Eines aber wusste er: Bekam er in Bonn für irgendeines seiner Projekte eine Absage, so konnte er mit guter Aussicht auf Erfolg, Ostberlin ins Gespräch bringen. Diese sogenannte »Schaukelpolitik« war in den Ländern der »Dritten Welt« durchaus üblich, führte dann aber zu mehr oder weniger heftigen Abbrüchen diplomatischer Beziehungen zu Bonn und damit auch zur Einstellung jeglicher bundesdeutschen Entwicklungshilfe.

Eines Tages flatterte ohne Vorwarnung eine Einladung zur Teilnahme an den Feierlichkeiten zum 10-jährigen Jahrestag der Unabhängigkeit der République Centralafricaine, in die Redaktion. Das hieß, eine kostenfreie Reise nach Bangui, der Hauptstadt. Das wollten wir uns natürlich nicht entgehen lassen. Bertram Otto entschied, dass ich fahren sollte. Mit mir wurde noch Hinrich Grote von der zentralafrikanischen Botschaft in Bonn eingeladen, der damals für die ›Süddeutsche Zeitung‹ tätig war und kurz vorher die Republik Südafrika wegen seiner apartheidkritischen Berichterstattung hatte verlassen müssen.

Wir flogen von Paris aus nach Bangui. In der gleichen Maschine waren auch einige französische Journalisten. Die Zeitung ›L'Humanité‹ hatte ein ganzes Team entsandt. Schon der Empfang war ungewöhnlich: mit Musik und einem »Jungfrauenspalier«. Wir erhielten einen Umschlag mit Angaben über unser Hotel sowie gedruckte Coupons für Mahlzeiten und Getränke für acht Tage, die in jedem Restaurant der Stadt eingelöst werden konnten. Nach meinen Erfahrungen mit Lebensmittelgutscheinen stellte ich mir die bange Frage, ob das wirklich der Fall sein würde. Aber es war dann tatsächlich auch so.

Nach ein paar Tagen sprach mich im Restaurant des Hotels fast konspirativ ein Mann an und wollte wissen, wann ich wieder abreisen würde. Auf meine erstaunte Frage, warum er das wissen wolle, antwortete er, er würde gerne wieder in »sein Zimmer« ziehen, das er für mich hatte räumen müssen. Da wurde mir klar, dass das Hotel eigentlich mit Dauergästen belegt war, die sich für die Zeit unseres Aufenthaltes per Anordnung ein anderes Quartier in Bangui suchen mussten. Hinter vorgehaltener Hand bestätigte mir die Hotelwirtin diese Annahme.

Hinrich Grote und ich stellten bald fest, dass wir nicht nur zwei, sondern drei deutsche Journalisten waren. Die Ostberliner Zeitung ›Neues Deutschland‹ hatte ihren stellvertretenden Chefredakteur Günter Schabowski entsandt, der aber wenig Ahnung von afrikanischer Politik und Wirklichkeit hatte. Wir wurden vom Protokoll der nicht-frankofonen Gruppe von Journalisten zugerechnet, zusammen mit einem vierten, einem Vertreter von Tass, der amtlichen Nachrichtenagentur aus Moskau. Wir vier teilten uns einen Betreuer, der auch unser Fahrer war, und ein Fahrzeug. Schabowski war das zunächst eher unangenehm. Er sprach kaum Französisch und war auf die Übersetzungen von uns anderen angewiesen. Der Tass-Kollege wiederum unterhielt sich gerne mit uns, den »anderen Deutschen«. Schabowski tat uns insofern etwas leid, weil er offensichtlich über noch weniger finanzielle Mittel verfügte als wir. Die anfängliche, etwas angespannte Stimmung normalisierte sich aber nach ein paar Tagen.

Sofern man von Normalisierung zwischen Journalisten aus den unterschiedliche Blöcken zu Zeiten des Kalten Krieges überhaupt reden kann. Wir wurden vom Protokoll zusammengeworfen und hatten uns zu vertragen. Es war doch eher ein Tolerieren der gegensätzlichen Auffassungen. Der Kollege Günter Schabowski war für mich damals der Typ des Erfüllungsjournalisten, der die Interessen der DDR aus eigener Überzeugung vertrat, also ein braver Parteisoldat. Natürlich konnte damals niemand ahnen, welche Rolle er fast zwanzig Jahre später spielen sollte, als er mit seiner berühmten Presseerklärung vom November 1989 die Maueröffnung auslöste, die zum Ende der DDR und letztlich zur deutschen Wiedervereinigung führte.

In der Heimat meines Vaters

Die besten Kontakte hatte ich natürlich zur Kameruner Botschaft. Der erste Botschafter, Raymond N'Thepe, war erst überrascht und dann erfreut, mich kennenzulernen. Er versicherte mir, er habe gehofft, hier in Deutschland auf Überlebende aus der deutschen Kolonialzeit zu stoßen. Ich musste ihm aber mitteilen, dass meines Wissens alle Kameruner, die während der kurzen deutschen Kolonialzeit nach Berlin gekommen waren, inzwischen verstorben waren, dass aber Kinder und Enkel mit den Kameruner Familiennamen weiterhin hier lebten, mit Namen wie Boholle, Egioume, Akwa, Bell, Diek, Esomber, Ngambi und Mpessa.

Wir führten gute und lange Gespräche miteinander und er ermunterte mich ständig, doch einmal die Heimat meines Vaters zu besuchen. 1969 war es so weit. Ich füllte einen Antrag zur Erteilung eines Visums für Kamerun aus und schickte ihn per Post an das Konsulat der Botschaft. Kurze Zeit danach rief mich N'Thepe an und teilte mir mit, dass er die amtliche Nachricht erhalten habe, dass deutsche Staatsangehörige, die nicht länger als drei Monate in Kamerun blieben, für die Einreise inzwischen nur einen noch mindestens sechs Monate gültigen Pass benötigten. Ich könne also unbesorgt losfahren. Ich erhielt von der SABENA ein günstiges Rundreise-Flugticket für den Besuch einiger Städte Westafrikas, darunter Duala.

Das Flugzeug landete kurz vor Einbruch der Dunkelheit auf dem Internationalen Flughafen von Duala. Ich war in erwartungsvoller, freudig-gespannter Stimmung. Endlich war ich in Kamerun, der Heimat meines Vaters! Er hatte sich immer auf eine Rückkehr gefreut, aber es war nie dazu gekommen.

Der Passbeamte nahm meinen Pass mit amtlicher Miene entgegen, blätterte ihn von vorne bis hinten durch und wieder zurück und fing noch einmal an zu suchen. Dann wandte er sich mit ernster Miene an mich. »Monsieur, Sie haben ja kein Visum für Kamerun!« »Ich brauche keines, hat mir die Botschaft in Bonn gesagt«, antwortete ich. »Aber ja, Sie brauchen eines, es sind nur französische Staatsangehörige, die keines benötigen!«

Es folgte eine heftige Debatte. Jeder beharrte auf seinen Standpunkt. Hinter mir murrten bereits andere Passagiere über die Verzögerung. Mich störte das wenig, fühlte ich mich doch im Recht. »Warten Sie bitte dort drüben«, sagte er schließlich, wies auf eine Bank und behielt meinen Pass ein, »das muss mein Vorgesetzter entscheiden!« Es war eingetreten, was ich schon in Köln leise befürchtet hatte: die Entscheidung der Verwaltung in Jaunde, der Hauptstadt Kameruns, hatte den langen Weg zu dem Passbeamten noch nicht zurückgelegt. Sein Vorgesetzter war der Chef des gesamten Flughafens. Der hatte noch anderes zu tun als sich mit einem deutschen, visumlosen Touristen zu beschäftigen. Das hieß für mich warten und nochmals warten. Endlich, es waren Stunden vergangen, der Flugverkehr war eingestellt, die Ankunftshalle leer, bat der Chef mich in sein Büro, nahm meinen Pass in die Hand, holte ein paar weiße Bögen aus einer Schublade, zückte einen Federhalter und begann in einer gewissen gelangweilten Überheblichkeit zu fragen: »Sie haben also kein Visum?« »Nein.« »Warum nicht?« Ich wiederholte, was ich bereits dem Einreisebeamten erklärt hatte. Ich war sicher, der Chef des Flughafens musste von der Visumsfreiheit für deutsche Staatsangehörige wissen.

Dem schien aber nicht so. Es folgte ein Frage- und Antwortspiel. Name? Vorname? Geboren? Wann? Wo? Anschrift, Name des Vaters, Name der Mutter, Beruf. Was wollen Sie in Kamerun? Wo wollen Sie hin? Welche Personen wollen Sie treffen? Name? Wo? Wann?

Warum? Alles wurde sorgfältig aufgeschrieben. Der erste DIN-A4-Bogen war schon voll und der zweite angefangen. Ich beantwortete ruhig und konzentriert jede Frage, aber mit jeder Frage stieg auch mein Adrenalinspiegel. Ich wusste, dass ich kurz vor einer Explosion stand, als ich mitten in dieser endlos scheinenden Fragerei – ganz ruhig – mein Gegenüber mit der Gegenfrage überraschte, ob er überhaupt schon einmal in meinen Pass geschaut habe. Er schaute zum ersten Mal von seinem Papier hoch und sah mich an. »Ja, Sie haben einen deutschen Pass«, sagte er. Ich fragte ihn weiter, noch immer ganz ruhig, ob ihm nichts aufgefallen sei. »Sie führen einen Kameruner Titel in Ihrem Namen«, sagte er. Gerade wollte ich losdonnern und ihm meine Meinung sagen, dass ich heute, mit fast fünfzig Jahren, endlich die Heimat meines Vaters besuchen wolle und er mir mit seiner blöden und vor allem unnötigen Fragerei das ganz und gar versaue, als er mit einer großen Geste einen dicken Stempel in meinen Pass drückte und mit freundlichem Gesicht sagte: »Monsieur, vous êtes le bienvenue chez vous!« (Sinngemäß: Seien Sie herzlich in Ihrer Heimat willkommen!)

Mein Zorn verflog augenblicklich. Offensichtlich hatte er mir gegenüber nur seine Autorität ausspielen wollen. Ich sollte seine Bedeutung erkennen. Er besorgte mir, da alle Taxen bereits weg waren, bei einem gut gekleideten, wichtig erscheinenden Herrn, der ebenfalls gerade in die Stadt wollte, eine Mitfahrgelegenheit. Ich ließ mich vor dem deutschen Seemannsheim absetzen, wo ich mir bereits von Köln aus schriftlich ein Quartier besorgt hatte. Es war das preiswerteste, das in Duala zu finden war. Die Hotels waren teuer und meine finanziellen Mittel sehr beschränkt. Damals gab es in allen afrikanischen Ländern nur zwei Kategorien von Hotels, solche, in denen man wohnen konnte, und solche, in denen man nicht wohnen konnte. Die Ersteren waren aber zumeist für meine Verhältnisse zu teuer.

Als ich im Seemannsheim ankam, begegnete mir der Herbergsvater, der gerade schlafen gehen wollte, mit erheblichem Misstrauen. Er hatte einen »deutschen«, das heißt »weißen« Gast aus Köln erwartet und nicht einen, der wie ein Kameruner aussah. Nach einem kurzen Gespräch und Vorlage meines Reisepasses bekam ich natürlich ein Quartier. Das Zimmer war spartanisch eingerichtet mit Bett, Tisch und Stuhl, aber mehr brauchte ich ja auch nicht. Aber das Frühstück am nächsten Morgen war gut.

Ich sah mir die frühere Hauptstadt der deutschen Kolonie näher an. An einigen Gebäuden, vor allem im Zentrum, war der Baustil der deutschen Kolonialzeit noch zu erkennen. Auf dem Friedhof gab es ein paar Gräber junger Männer, die kurz nach ihrer Ankunft in der Kolonie gestorben sein müssen. In einem Regierungsgebäude traf ich sogar einen alten Landsmann aus Berlin wieder, den ich als Kind unter dem Namen »Nagel« gekannt hatte. Wie er ausgesehen hatte, das wusste ich natürlich nicht mehr. Unter den »Landsleuten« war er, weil er ständig »abgebrannt« war, als »Pump-Genie« bekannt gewesen. Jeder, der ihn von Weitem sah, machte einen großen Bogen um ihn. So auch mein Vater, als er noch lebte.

Ich ging einen Flur in diesem Gebäude entlang und war in Gedanken versunken, als mir ein ärmlich gekleideter Mann entgegenkam. Ich war schon fast an ihm vorbeigegangen, da sprach er mich leise an: »Theo?« Ich drehte mich um. So hatte mich, seit ich Berlin 1945 verlassen hatte, niemand mehr gerufen. »Du hast dich ja überhaupt nicht verändert, während ich ein alter Knacker geworden bin!«, sagte er auf Deutsch, mit Kameruner Akzent. Es dauerte eine Weile, bis ich begriff, dass er meinen Vater meinte. Ich wusste, dass ich meinem Vater sehr ähnelte, auch in der Färbung meiner Haut. Aber ich war noch nie mit ihm verwechselt worden. Seine Freunde hatten meinen Vater »Theo« gerufen, weil ihnen Theophilus zu lang war. Der Mann sagte: »Ich bin doch Nagel und du musst mich doch aus Berlin kennen.« Das Missverständnis klärte sich schnell auf. Wir umarmten uns. Er erzählte, dass er kurz vor Kriegsbeginn noch nach Paris entwischt und später nach Kamerun zurückgekehrt sei. Die französische Kolonialverwaltung habe ihm hier eine Stelle als Bürobote gegeben, wo er noch heute arbeite. Ich löste mich mit ein paar französischen Francs aus weiterer Verantwortung und reiste mit dem Bus weiter nach Victoria.

Victoria war eigentlich ein Teil des Landes Bimbia, aber dieser Name existierte für die deutsche Kolonialverwaltung nicht. Daher war Victoria im Familienstammbuch meiner Eltern als Geburtsort meines Vaters eingetragen. Ich hoffte, dort noch engere Verwandte meines Vaters vorzufinden. Doch es gab nur noch entferntere. Immerhin traf ich eine sehr, sehr alte Dame an, von der es hieß, sie sei meinem Vater versprochen gewesen, bevor er nach Deutschland reiste. Ich begegnete auch einem uralten Kameruner, der meinen Vater aus Berlin kannte und dessen Name in meiner Kindheit des Öfteren gefallen war: Franz Ekute Burlay. Er hatte zur gleichen Zeit wie Wilhelm Furtwängler in Wien Musik studiert und war noch vor dem Krieg nach Kamerun entkommen.

In Victoria hatte es sich schnell herumgesprochen, dass ein verlorener Sohn aus dem reichen Deutschland in seine arme Heimat zurückgekehrt sei. Entsprechend waren die Erwartungen, die an mich gestellt wurden und die ich natürlich nicht erfüllen konnte. Leute tauchten bei mir auf, die ich nicht kannte, und baten mich um alle möglichen Hilfen, sogar um medizinische. Meine sowieso knappen finanziellen Mittel waren binnen Kurzem völlig erschöpft. Ich war sehr herzlich aufgenommen worden, aber nach ein paar Tagen reiste ich völlig abgebrannt wieder ab. Es reichte gerade noch für den Bus zum Flughafen von Duala. Friedel holte mich vom Flughafen in Köln-Bonn ab, sonst hätte ich nicht nach Hause kommen können.

Beamter beim BND

Zum Jahresende 1971 stellte der Berto-Verlag die Herausgabe des ›Afrika-Bulletins‹ und des ›Afrika-Schnellbriefes‹ zum Bedauern aller Mitarbeiter aus finanziellen Gründen ein. Frühere Zuschüsse waren fortgefallen und eigene Mittel des Verlages reichten für die Aufrechterhaltung der Publikationen nicht aus. Ich aber ging als Regierungsrat auf Probe zum Bundesnachrichtendienst (BND) nach Pullach bei München. Damals konnte man sich beim BND nicht einfach so als Mitarbeiter bewerben. Er suchte sich seine Leute aus. Vermutlich ist das auch heute noch so.

Die Geschichte des BND ist weitgehend bekannt. Er war anfänglich ausschließlich auf den Ostblock ausgerichtet, entwickelte sich aber ab der zweiten Hälfte der Fünfzigerjahre zum Auslands-Nachrichtendienst der Bundesrepublik. Um wieder in der Weltpolitik mitreden zu können, musste die Bundesrepublik ihre Außenpolitik auch auf die Länder der »Dritten Welt« ausdehnen, die nach dem Ende der Kolonialzeit und am Beginn ihrer eigenen politischen Unabhängigkeit standen und ihrerseits teilweise große Erwartungen an »die Deutschen« hegten.

Ich hatte mir bereits einen Ruf als Fachmann für afrikanische politische, wirtschaftliche und soziologische Fragen erworben. So wurde ich – völlig unerwartet – eines Tages vom BND zur Mitarbeit aufgefordert. Ich war erstaunt und zögerte. Ich konnte mich noch sehr gut an die Gestapo erinnern, und Geheimdienst war nun mal Geheimdienst. Nach einigen Gesprächen kam ich aber zu der Überzeugung, dass dieser Dienst weder mit den Nachrichtendiensten des Dritten Reiches noch dem Staatssicherheitsdienst der DDR, der Stasi, zu vergleichen war. Es geht nicht um politische Auffassungen und Aktivitäten von deutschen Bürgern, sondern um politische Nachrichten aus dem Ausland.

Ich fühlte mich auch durchaus geehrt. Bisher war ich aufgrund meiner afrikanischen Abstammung so häufig negiert oder auch eindeutig abgelehnt worden, wenn ich mich um eine Stelle bewarb, auch im öffentlichen Dienst. Nun forderte mich mein schwieriges Mutterland von sich aus auf, in seinen aktiven Dienst zu treten. Ich nahm diese Herausforderung an, auch in dem Bewusstsein, hier ein Beispiel für Generationen nachfolgender Afro-Deutscher zu sein, und um zu beweisen, dass wir in diesem Staat wichtige Aufgaben und Pflichten übernehmen können, die uns bisher weder zugetraut geschweige denn angeboten wurden. Nicht zuletzt auch, um als kleine afro-deutsche Minorität der Majorität unserer Gesellschaft die Integrationsbereitschaft und Loyalität zu versichern, obwohl dies vom Grundgesetz her eigentlich gar nicht nötig war. Das Grundgesetz sichert schließlich allen Deutschen Gleichheit und Gleichbehandlung zu. Aber bis heute klaffen zwischen Verfassungstheorie und Wirklichkeit noch immer große Lücken. Noch immer werden

Menschen deutscher Staatsangehörigkeit aufgrund ihrer Hautfarbe oder ihres »fremden« Aussehens in Staat und Gesellschaft benachteiligt und auch offen diskriminiert.

Ich wusste, dass die Entscheidung in den BND einzutreten mein bisheriges Leben völlig verändern und dass es mit Sicherheit nicht leicht werden würde dort zu bestehen. Lebte ich bisher in einer offenen Welt, so musste ich nun meine Umgebung kritischer betrachten und mit einer Legende hinsichtlich Arbeitgeber und Tätigkeit leben. Das betraf auch die Familie und Kinder, die vorsichtig sein mussten, wenn sie nach dem Beruf ihres Vaters gefragt wurden.

Während meiner Tätigkeit im Dienst machte ich ähnliche Erfahrungen wie schon vorher in meinem ganzen Leben. Auf der einen Seite gab es – wie erwartet – kritische bis freundliche Akzeptanz bei Kollegen und Vorgesetzten, auf der anderen Seite aber auch – ebenfalls erwartet – »herzliche« bzw. verdeckte Ablehnung. Aber mit Letzterem umzugehen hatte ich inzwischen gelernt.

Nach ein paar Jahren im Staatsdienst wurde mir von einem höheren Vorgesetzten meine erste »dienstliche Beurteilung« eröffnet. Die dienstliche Beurteilung muss nach den Beamtengesetzen alle drei Jahre vorgenommen werden. Sie ist vom unmittelbaren Vorgesetzten zu erstellen und wird von dessen Vorgesetzten dem betreffenden Beamten gegenüber eröffnet. Mein unmittelbarer Vorgesetzter hatte unter anderem – in durchaus freundlicher Absicht – geschrieben: »… dass er seine anfänglichen Probleme mit den Kollegen überwunden hat …« Ich hatte aber gar keine Probleme mit den Kollegen, sondern eher umgekehrt, einige hatten Probleme mit mir. Ich widersprach dieser Formulierung. Der Passus wurde in meinem Sinne geändert. Ein wiederkehrendes Muster in meinem Leben. Die meisten Probleme, die ich hatte, wurden von außen an mich herangetragen, weil ich so war, wie ich war, und dann mir zugeschrieben.

Wenn mir als Schauspieler eine Rolle verweigert oder wegen meiner Hautfarbe die Anmietung einer Wohnung abgelehnt wurde, dann oft mit der Begründung: »Was würden die anderen Kollegen bzw. Mieter dazu sagen?« Die allgemeine Meinung war, dies sei doch bitte schön mein Problem. Das wurde es ja auch, aber erst durch das Verhalten der anderen. Genau dagegen habe ich mich mein ganzes Leben lang gewehrt. Wenn mich jemand aus rassistischen Gründen ablehnt oder ich ihm »fremd« erscheine, so ist das seine Sache und nicht meine. Und aus diesem Grund auch nicht mein Problem. So auch beim BND. Während meiner gesamten Dienstzeit begleitete mich der mir gegenüber aber nie offen ausgesprochene Satz: »Integriert, qualifiziert, aber immer verdächtig.«

Als ich zum »Regierungsrat auf Probe« ernannt wurde, nahm mir der damalige Präsident des Bundesnachrichtendienstes, Gerhard Wessel, den Diensteid ab, an den ich mich, nach alter preußischer Sitte, bis heute gebunden fühle. Der Diensteid beinhaltete nämlich auch die Formulierung: »… Schaden von der Bundesrepublik Deutschland abzuwenden«. Tatsache ist, dass Schaden immer und überall dort entstehen kann, wo unbedachte Handlungen oder Äußerungen gemacht werden, die von Dritten negativ verwendet werden können. Meine Ernennungsurkunde hat Egon Bahr, damals Chef des Bundeskanzleramtes, unterzeichnet. Der BND als Auslandsnachrichtendienst der Bundesrepublik Deutschland untersteht dem Bundeskanzleramt. Ich glaube, Bahr hat damals nicht gewusst, dass er den ersten schwarzen Bundesbeamten im höheren Dienst ernannt hatte.

Über den BND ist sehr viel Richtiges, aber auch viel Falsches geschrieben und berichtet worden. Von mir sind keine Enthüllungen von Geheimnissen oder Skandalen zu erwarten. Das haben andere, die sich dazu berufen fühlten, bereits getan. Bemerken möchte ich jedoch, dass geheime Nachrichtendienste im Geheimen arbeiten müssen, sonst wären sie keine. Eine Binsenwahrheit, wird aber oft vergessen. Ein geheimer Dienst kann nur so gut oder so schlecht sein wie die Regierung, der er zuarbeitet. Geheime Dienste funktionieren in parlamentarischen Demokratien anders als in totalitären. Deshalb kommt es auch auf die jeweiligen Parlamente und die Medien an. Zurückhaltung ist oft wirksamer als medialer Theaterdonner, bei angenommenen oder tatsächlichen Skandalen oder Pannen.

Ich war in der Zentrale in Pullach unter dem Personal der einzige, buchstäblich schwarze Fleck oder auch ein bunter Vogel. Die einen bestaunten oder bewunderten mein Gefieder, andere dagegen knurrten: »Der kann ja nicht mal richtig singen wie wir, der krächzt ja nur!« Mich störte das alles nicht sehr. Akzeptanz freute mich, Ablehnung konnte ich nicht verhindern. Wenn man mir zu nahe kam, reagierte ich oft heftig, aber nie beleidigend. Ich versuchte eher, die Menschen wegen ihres Verhaltens zu beschämen. Eines wusste ich: Ich stand immer auf der Seite des Rechts und der Gesetze. Entsprechend verhielt ich mich.

Am 31. März 1987 wurde ich auf eigenen Wunsch in den Ruhestand versetzt. Friedel und ich zogen wieder in unser kleines Reihenhaus in Köln. Unsere Kinder hatten inzwischen eigene Familien gegründet, waren fortgezogen und hatten das Haus für unsere Rückkehr hergerichtet.

Eine neue afro-deutsche Community

Im Sommer 1985 hatten sich ein paar Frauen afro-deutscher Herkunft in Berlin zusammengesetzt und ein Buch geschrieben, das ungeplant die Grundlage für die Bestimmung einer eigenen Identität dieser Bevölkerungsgruppe werden sollte. Sie nannten es ›Farbe bekennen‹, mit dem Untertitel ›Afro-deutsche Frauen auf den Spuren ihrer Geschichte‹ (Orlanda Frauenverlag 1986). Es war wohl das erste Mal, dass sich Menschen, die früher als »Neger«, »Mulatten« oder »Mischlinge« bezeichnet oder beleidigt worden waren, in Deutschland in ihrer eigenen Sprache, nämlich der deutschen, zu Wort meldeten und der Öffentlichkeit ihre Existenz bekannt gaben. Unter denen, die Beiträge zu diesem Buch leisteten, waren auch Erika und Dorothea, die Töchter von Mandenga Diek, einem Landsmann meines Vaters. Ich kannte sie beide aus meiner Kinder- und Jugendzeit von der Film-Komparserie und den Völkerschauen. Sie waren beide älter als ich, hatten geheiratet und Kinder und Enkel. Inzwischen sind beide gestorben. Eine andere Tochter eines weiteren Landsmannes, Gottfried Kinger, der wegen seiner gepflegten Art und seines guten Aussehens unter den »Landsleuten« den Spitznamen »Johnny de Sympathie« hatte, lieferte ebenfalls einen Beitrag. Sie wurde noch in der Nazizeit – 1945 – geboren und versteckt. Sie hatte ein völlig anderes Schicksal als alle anderen Afro-Deutschen meiner Generation. Mitherausgeberin des Buches, neben Dagmar Schultz, war die Historikerin Katharina Oguntoye, die Tochter eines nach dem Krieg eingewanderten Nigerianers. Sie hat 1997 ihre Magisterarbeit zu einem Buch mit dem Titel ›Eine afrodeutsche Geschichte. Zur Lebenssituation von Afrikanern und Afro-Deutschen in Deutschland von 1884 bis 1950‹ verarbeitet. Eine weitere Herausgeberin war die früh verstorbene May Ayim, Jahrgang 1960 und Tochter eines ebenfalls eingewanderten Ghanaers. Sie war durch ihre Lyrik bekannt geworden, in der sie sich vornehmlich mit der Situation der Afro-Deutschen beschäftigte. 2009 wurde sogar eine Straße in Berlin nach ihr benannt.

Dieses Buch hat mich begeistert. Mir imponierten der Mut und Enthusiasmus, den diese Frauen für ihre Sache aufbrachten und den wir älteren Afro-Deutschen aufgrund unserer Erfahrungen in der Weimarer Republik, der Nazizeit und auch danach nicht aufgebracht hätten. Kurz nach dem Erscheinen bildeten sich die ADEFRA (Schwarze Frauen in Deutschland) und die ISD (Initiative Schwarze Deutsche).

Ich selber war seit April 1987 im Ruhestand und beschloss, mich dieser Gruppierung anzuschließen. Natürlich war ich willkommen und ich fand rasch Anschluss an die für mich neuen »Landsleute«. Mir wurde schnell klar, wie sehr diese jungen Leute, denen man, wie mir früher auch, oft das »Baströckchen« aus den Völkerschauen anziehen wollte und die sich immer noch nach dem Motto »der nimmt einem von UNS den Arbeitsplatz weg« mit Arbeitgebern, uneinsichtigen Vermietern und Rassisten herumschlagen mussten, positive Vorbilder benötigten, Menschen mit langen Erfahrungen im Umgang mit der Mehrheitsgesellschaft, die deren Bedingungen aber nie akzeptiert hatten. Und genau dies konnte ich anbieten.

Erfahrungen

Es gibt neben der negativen auch eine positive Diskriminierung. Friedel und ich waren einmal mit einer Münchner Reisegesellschaft nach Marseille unterwegs, um von dort mit dem Schiff weiter nach Dakar zu fahren. In der Reisegruppe war auch ein kriegsblinder Mann dabei, der sein Gepäck vermisste. Die Reiseleiterin, die sich um weitere dreißig Mitreisende kümmern musste, wusste, dass ich Französisch sprach, und bat mich, dem Mann behilflich zu sein. Das Gepäckstück fand sich wieder, aber Friedel und ich kamen zu spät in den Speisesaal, wo die für unsere Reisegruppe vorgesehenen Tische bereits vergeben waren. Wir sahen zwei freie Plätze an einem Tisch, an dem bereits ein Ehepaar in unserem Alter saß. Ich fragte im Beisein der Reiseleiterin höflich, ob wir hier Platz nehmen könnten. Der Mann beachtete mich nicht weiter und blaffte die Reiseleiterin an, was ihr einfiele, Leute an *seinen* Tisch zu setzen, mit denen er sich nicht unterhalten könne. Friedel und ich verzichteten – nicht mehr ganz so höflich – auf einen Platz an diesem seinem Tisch. Die arme Reiseleiterin wusste offensichtlich nicht, wie sie mit dieser Situation umgehen sollte. Sie wollte es wiedergutmachen und fragte mich, ob sie sich bei den mitreisenden Franzosen nach Plätzen für uns umsehen solle. Ich war im Begriff völlig verärgert zu reagieren. Da ergriffen zwei ältere Damen, die das alles mitbekommen hatten, die Initiative und luden uns ein, bei ihnen Platz zu nehmen. Das entschärfte die Situation.

Die Reiseleiterin hatte ihren Vorschlag natürlich gut gemeint. Sie wollte uns weitere Diskriminierungen von deutscher Seite ersparen. Aber für mein Empfinden war dieses Verhalten eher kontraproduktiv, weil es auf Ausweichen und Nachgeben hinauslief. Dadurch änderte sich nichts am Verhalten anderer Menschen. Ich hätte es definitiv vorgezogen, diesem Mann meine Meinung zu sagen. Es gibt unzählige Beispiele dafür, wie mit guten Absichten Negatives erreicht wird. In der Bundesrepublik wurde beispielsweise lange ernsthaft darüber diskutiert, ob man Abkömmlingen aus afro-amerikanischen Verbindungen die Ausreise in die USA ermöglichen sollte, um ihnen Diskriminierungen in der deutschen Umwelt zu ersparen. Abgesehen davon, dass ein solches Vorgehen auch als Ausweisung deutscher Staatsangehöriger ausgelegt werden kann, was bekanntlich durch das Grundgesetz verboten ist, raubt man damit den Betroffenen ihre deutsche Identität. Man bestätigt mit solchen Absichten alle diejenigen, die der Ansicht sind, dass Menschen mit anderer Hautfarbe in Deutschland nichts zu suchen haben. Die Logik dahinter habe ich nie verstanden. Warum sollte man Diskriminierungen ausweichen, und auch noch zum Nachteil derer, die diskriminiert werden, statt Rassismus und Vorurteile aktiv zu bekämpfen? Wenn es einem Land ernst mit diesem Anliegen ist, dann können solche Umwege nicht die Lösung des Problems sein. Ich konnte immer besser mit offener Diskriminierung und sichtbarem Rassismus umgehen als mit Rückzügen und Ausweichmanövern.

Hell und Dunkel

1998 reiste ich mit einer Delegation der ISD, der Initiative Schwarze Deutsche, auf Einladung der Universität von Chicago und der Howard Universität in Washington in die USA. Es begegneten sich Vertreter zweier Diaspora-Minderheiten aus unterschiedlichen Teilen der »weiß bestimmten Welt«. Wir stellten viele Übereinstimmungen, aber auch viele Unterschiede fest. Schwarze Menschen werden in »weißen« Gesellschaften immer Opfer von Diskriminierung und Rassenhass. Eigenartig war jedoch die unterschiedliche Wertung der Hautfarbe. Bei den Afro-Amerikanern gab es die unterschiedlichsten Abstufungen von ganz hell bis ganz dunkel, schwarz. Je heller, desto besser, je dunkler, desto schlechter, diese Bewertung galt in beiden Gesellschaften. Wir konstatierten, dass diese Bewertung allgemein war und ausgeübt wurde. Hellhäutigere Menschen schätzten sich selber oft als bedeutender ein als dunkelhäutige. In der amerikanischen Sprache gibt es den Begriff »passing for white« für Menschen, denen ihre afrikanische Abstammung nicht mehr anzusehen ist. Wenn dies der Fall ist, können sie unter bestimmten Umständen auf Distanz zu ihrer Familie und ihrem Bekanntenkreis gehen. In dem Roman ›Der menschliche Makel‹ von Philip Roth wird dieser Konflikt sehr eindrucksvoll beschrieben. In Deutschland wiederum würde eine solche Person von vorneherein nicht als afro-deutsch bezeichnet werden und sich auch nicht selber so sehen.

Der größte Unterschied zwischen Afro-Deutschen und Afro-Amerikanern besteht in ihrer Vorgeschichte. In den USA definiert sich die Zugehörigkeit zu African-America aus einer über Jahrhunderte gewachsenen und entwickelten Kultur, die sich sozial und auch sprachlich durchaus von der Mehrheitsgesellschaft unterscheidet. In Deutschland gibt es das nicht. Es gab hier immer Menschen afrikanischer Abstammung, aber es waren immer viel zu wenige, als dass sich daraus eine vergleichbare Entwicklung hätte ergeben können. Sie hinterließen in der Mehrheitsgesellschaft kaum Spuren. Das gilt eigentlich bis heute, trotz der Zuwanderung »schwarzer« Menschen aus Afrika oder Nord- und Südamerika.

Homestory Deutschland

Die ISD hat seit ihrer Gründung viele Projekte der Aufklärung angestoßen, unter anderem die Wanderausstellung »Homestory Deutschland« und die dazugehörige Publikation. Im Grund definiert die Mehrheit der deutschen Bevölkerung den Begriff »deutsch« noch immer nach völkischen Gesichtspunkten. Es ist deshalb kein Wunder, dass bis zum Ende des letzten Jahrhunderts die Formel »Deutschland ist kein Einwanderungsland« galt, obwohl es dies eigentlich immer war, schon aufgrund seiner Lage im Zentrum Europas. Zuwanderungen aus den Nachbarländern, aber auch aus der übrigen Welt haben regelmäßig stattgefunden, sogar auf Initiative der Deutschen. Das galt für die Gastarbeiter ebenso wie für die in Frankreich verfolgten Hugenotten, die die preußischen Könige ins Land holten. Es war keine Massenaus- oder -einwanderung wie in die »Neue Welt«, aber es waren durchaus wahrnehmbare Teile der deutschen Bevölkerung.

Die größte Zuwanderung war eine Folge des verlorenen Krieges, als Millionen von Menschen deutscher Zunge durch Flucht und Vertreibung ihre ursprüngliche Heimat verlassen mussten. Sie haben das alles andere als freiwillig getan, und sie sind keineswegs mit Begeisterung aufgenommen worden. Dennoch war es die Gesamtheit dieser Menschen, die nach den Folgen des Krieges und dem Chaos der Nachkriegszeit erheblichen Anteil am Aufstieg der Bundesrepublik Deutschland in Europa und der Welt hatten.

Eine Reise in die (Noch-) DDR

Das wichtigste nationale Ereignis seit dem Kriegsende und der Staatsgründung war der Fall der Mauer im November 1989. In der Zeit zwischen der Maueröffnung und der Wiedervereinigung, kurz nach der Einführung der DM als offizieller Währung, fuhren Friedel und ich in die noch existierende, aber nicht mehr reale DDR. Wir waren sehr neugierig auf den Osten Deutschlands. Es gab keine Grenzkontrollen mehr und wir konnten unbesorgt fahren. Hotels gab es noch sehr wenige. Wir mussten uns unterwegs oft anderweitig Quartier beschaffen, manchmal in einem gerade zum Hotel umfunktionierten früheren staatlichen Erholungs- oder Ferienheim, manchmal bei Privatleuten, die uns die örtlichen Verkehrs- oder Touristbüros vermittelten.

In Erfurt wurden wir bei einem Hausmeister eines großen Mietsblockes einquartiert, der unsere Daten nach Vorlage unserer Personalausweise in ein sogenanntes Hausbuch eintrug. Auf meine

Frage nach dem Zweck erklärte er mir, es sei für die Meldung bei den Behörden und Vorschrift. Jeder Fremde, der in einem der von ihm »betreuten« Häusern übernachte, und sei es nur für eine Nacht, müsse gemeldet werden. Ein Hinweis auf die veränderte Situation verpuffte. Vorschrift sei Vorschrift und gelte, bis sie widerrufen werde. Und das sei bisher nicht geschehen. Ende der Diskussion! Dieser Mann schien mir ein entschiedener Vertreter der alten Ordnung zu sein. Nebenbei bemerkte er, er freue sich auf den Abend. Ich fragte nach, worauf er sich denn so freue. »Na, aufs Abklatschen von Schwarzen«, war die Antwort. »Abklatschen«, den Begriff hatte ich bisher noch nie gehört. Es war offensichtlich, dass es sich um so etwas wie Prügel handelte. Ich fragte nach, ob es da um Menschen aus Mosambik und Angola ginge. Er bestätigte das. Gemeint waren diejenigen, die zu DDR-Zeiten als Gastarbeiter aus den »Bruderländern« Mosambik und Angola in die DDR gekommen waren. Viele von ihnen waren gleich nach dem Mauerfall in die Bundesrepublik geflüchtet und hatten um Asyl gebeten, wurden aber oft schnell in ihre Heimatländer abgeschoben

Wir waren entsetzt. Ich verstand wieder einmal die Welt nicht mehr. Was hatte es denn auf sich mit diesen ganzen Beteuerungen von Völkerfreundschaft und Menschenrechten in der DDR? Galt das plötzlich nicht mehr? Hatte es überhaupt je gegolten? Ich versuchte, diesen Mann von der Gemeinheit, Schändlichkeit und Ungerechtigkeit seines Tuns zu überzeugen, aber ich stieß auf taube Ohren. Er und seine Spießgesellen sahen es offensichtlich als ihr gutes Recht an, die neu gewonnene Freiheit dazu zu nutzen, um die Freiheit anderer einzuschränken. Auf ein Gespräch mit mir hatte er sich offenbar nur eingelassen, weil er aus irgendeinem Grund nicht bemerkt hatte, dass ich auch ein »Schwarzer« war.

An einem anderen Tag auf dieser Reise waren wir auf der Suche nach einem Restaurant. Die waren damals – besonders in kleineren Orten – kaum vorhanden. Endlich fanden wir eines – zumindest sah es von außen so aus –, gingen durch die Tür und standen, noch bevor wir den eigentlichen Gastraum erreicht hatten, plötzlich einer Gruppe junger Menschen gegenüber, die uns stumm und feindselig ansahen und uns den Weg verstellten. Ich wollte gerade darum bitten, dass sie uns vorbeiließen. Friedel merkte schneller, was los war. Sie nahm mich am Arm, zog mich nach draußen und sagte laut und deutlich: »Wir sind hier unerwünscht.« Sie kannte meine Reaktionen bei solchen Gelegenheiten und fürchtete, ich würde mit den jungen Leuten Streit anfangen. Wenn es zu einer handfesten Auseinandersetzung kam, würde ich aber den Kürzeren ziehen. Ich nehme an, sie hatte recht. Aber es war eine kränkende und schockierende Erfahrung.

Ich hatte positivere Erwartungen an unsere Reise in die DDR gehabt. Berichte über zerfallende Innenstädte und Plattenbausiedlungen an der Peripherie der Städte hatte ich zum Teil für Übertreibungen westlicher Journalisten gehalten. Aber viele Orte, auch solche, die vom Krieg weitgehend verschont geblieben waren, sahen aus, als hätten gerade Kriegshandlungen stattgefunden. Es wirkte, als ob die Innenstädte bewusst dem Verfall preisgegeben worden seien. Ich machte mich auf die Suche nach Erhaltenswertem, nach Errungenschaften der DDR, an die ich auch in Zeiten des Kalten Krieges geglaubt hatte. Ich besuchte die hochgelobten Kindertagesstätten und stellte auch da fest, dass sie zwar vorzeigbar, aber von der Ausstattung entsprechender Einrichtungen in der Bundesrepublik weit entfernt waren. Meine Suche nach Errungenschaften wollte nicht so recht gelingen.

Und manche Erfahrung wiederholte sich auch. Vor einigen Jahren, lange nach der Wiedervereinigung, hatte ich mich anlässlich einer ISD-Veranstaltung in Berlin über Internet in einem kleinen Hotel außerhalb der Hauptstadt einquartiert, denn viele Berliner Hotels waren wegen einer parallel stattfindenden Großveranstaltung ausgebucht. Nach meiner Ankunft meldete ich mich telefonisch bei meinen ISD-Freunden. Sie waren entsetzt, als sie hörten, wo ich gelandet war. »Da kannst du doch nicht bleiben!«, hieß es. »Das ist doch eine No-go-Area!« Auch diesen Begriff hörte ich hier zum ersten Mal und wurde rasch aufgeklärt. Man wollte mich sofort dort wegholen. Natürlich bestand ich darauf zu bleiben. Ich wollte einfach wissen, was passiert. Es passierte nichts. Aber allein der Gedanke, dass es in Deutschland »No-go-Areas« gibt, beunruhigt mich doch sehr. Unverändert müssen Menschen deutscher

Zunge und deutscher Staatsangehörigkeit in ihrer Heimat um Leib und Leben fürchten, wenn sie eine dunkle Hautfarbe haben! Ein unerträglicher Gedanke.

Zurück zum Theater

Ich hatte mir nach meinem Eintritt in den Ruhestand – 1987 – vorgenommen, wieder als Schauspieler zu arbeiten, falls ich eine Chance dafür bekam. Deshalb versuchte ich, Verbindungen zu Personen aus meinem alten Leben aufzunehmen. Das war aber gar nicht so leicht. In den Rundfunkanstalten saßen nicht mehr die »alten« Besetzungsmenschen, die jeden Schauspieler und jede Schauspielerin in ihrem Gesichtsfeld kannten und die Besetzungen von Fernsehspielen gemeinsam mit den Regisseuren entwickelten. Das hatten größtenteils die »Casting-Agenturen« übernommen, die an Aufträge von freien Produzenten gebunden waren, die wiederum ihre Aufträge von den Rundfunkanstalten erhielten, die inzwischen keine eigenen Fernsehfilme mehr produzierten. Auch die Arbeitsämter hatten in einigen Großstädten inzwischen Abteilungen für Arbeitslose der darstellenden Künste eingerichtet. Diese Casting-Einrichtungen konnten alle wenig mit mir anfangen. Die Rundfunkanstalten unterhielten nur für den Hörfunk noch Besetzungsbüros. Ich klapperte alle Rundfunkanstalten ab, in denen ich früher mal gespielt oder in Hörspielen gesprochen hatte. Doch ich fand nur wenige bekannte Gesichter vor, und die waren erstaunt, dass es mich überhaupt noch gab. Ich hatte mich ja schon in meiner Zeit als Journalist sehr rar gemacht

Später war für mich als Bundesbeamter im höheren Dienst diese Art von Tätigkeit ohnehin ausgeschlossen. Zu lange war ich aus den darstellenden Künsten verschwunden. In den Theatern hatten die Intendanten und die Regisseure gewechselt oder es gab sie nicht mehr. Aber siehe da, das Grenzlandtheater in Aachen suchte einen schwarzen Schauspieler für eine tragende Rolle, und ich kam gerade recht. Bei der ersten Probe zu ›Master Harold und die Boys‹ von Athol Fugard stellte sich heraus, dass der Intendant des Theaters, Karl-Heinz Walther, der die Regie führte, und ich vor dreißig Jahren in Frühzeiten des Fernsehens bereits zusammengearbeitet hatten. Wir hatten uns allerdings beide so verändert, dass wir uns nicht gleich auf Anhieb wiedererkannten. Der Wiedereinstieg gelang und bald meldeten sich auch wieder andere Theater und boten mir Rollen an, die ich früher nie bekommen hätte. Zugegeben, es gab in der deutschen Theaterszene nach wie vor kaum Rollen für schwarze Schauspieler. Zwei Rollen hätte ich immer sehr gerne gespielt: Den durchtriebenen Mulay Hassan in Schillers ›Fiesco‹ und Shakespeares ›Othello‹. Aber auch dafür wurden lieber weiße Kollegen schwarz geschminkt. Das erste Mal, als ich mich für den Othello bewarb, wurde ich als zu jung befunden, das zweite Mal als zu alt. Schließlich wurde mir kürzlich die Rolle erneut angeboten, aber da musste ich tatsächlich aus Altersgründen ablehnen. Es hat nicht sollen sein.

Dennoch war ich sehr glücklich, dass ich wieder in meinem letztlich doch geliebten Beruf als Schauspieler arbeiten konnte und dies ohne jeden wirtschaftlichen Druck. Ich konnte mir die Rollen aussuchen und ablehnen, was mir nicht gefiel, denn ich war wirtschaftlich abgesichert und auf die Einkünfte nicht mehr angewiesen. Nun reizten mich die großen Altersrollen, und es war das Severins-Burg-Theater in Köln, das heutige Metropol-Theater, das sie mir anbot. Leiter und Regisseur des Theaters war Burkhard Schmiester. Bei ihm durfte ich Rollen spielen, die mir noch nie jemand vorher angeboten hatte. Bei denen die Hautfarbe keine Rolle spielte. Man musste die Rolle einfach nur beherrschen und ausfüllen.

Verlust und Neuanfang

Der 15. Januar 1993 war ein kalter, blasser und schneeloser Wintertag, wie er in der Kölner Bucht um diese Jahreszeit üblich ist. Es war mein 68. Geburtstag. Unsere beiden Enkelkinder Kirsten und Jens aßen wie jeden anderen Werktag bei uns zu Mittag. Ihre Eltern arbeiteten beide. Wie so oft brachte Kirsten eine Schulfreundin mit, für die es natürlich auch noch reichte. Zum Kaffee hatten sich Juliana und James angesagt. Deshalb war Friedel ein bisschen in Eile. Sie wollte vorher noch Kirsten und Jens nach Hause fahren und Jan, einem anderen Enkel, Sohn von Roy, dessen Mutter zwei Jahre zuvor plötzlich verstorben war, das Mittagessen vorbeibringen. Ich blieb zu Hause und freute mich auf den Besuch meiner Geschwister. Ich war froh, dass ich alleine war. Die halbwüchsigen Enkel verbreiteten doch immer einige Hektik. Außerdem hatte ich abends Vorstellung und konnte mich in Ruhe vorbereiten.

Wie angekündigt trafen meine beiden Geschwister ein. Ich kochte Kaffee und wir warteten auf Friedel. Aber sie kam nicht. Schließlich rief die Polizei an. Friedel hätte einen schweren Unfall erlitten und wäre ins Krankenhaus in Köln-Merheim gebracht worden. Wir drei fuhren sofort dorthin. Sie lag auf der Intensivstation im Koma, hatte mehrere gebrochene Rippen, einen gebrochenen Daumen, aber offensichtlich keine schweren inneren Verletzungen. Das musste nach Aussagen der Ärzte erst noch näher untersucht werden. Bei mir drängte die Zeit, ich musste ins Severins-Burg-Theater und den Leander im ›Sommernachtstraum‹ spielen, und das tat ich dann notgedrungen auch. Die Kollegen hatten sich darauf gefreut, nach der Vorstellung mit mir auf meinen Geburtstag anzustoßen. Aber daraus wurde nichts, denn nach dem Ende der Vorstellung eilte ich sofort wieder ans Krankenbett meiner Frau. Die Situation war unverändert. Ich fuhr nach Hause und fiel erschöpft ins Bett.

Am nächsten Morgen klingelte es an der Haustür. Ein junger Mann stand da und fragte, ob ich wüsste, dass nach dem Autounfall meiner Frau Aufnahmen von einer privaten TV-Gesellschaft gemacht worden seien. Diese wolle die Aufnahmen für eine Reportage über die Rettungsaufgaben der Feuerwehr vermarkten. Diese Reportage würde in den nächsten Tagen im WDR mit Namen und näheren Einzelheiten gesendet werden. Ich war sehr betroffen und bemühte mich, in Kontakt mit dieser TV-Gesellschaft zu kommen. Es war schwierig, überhaupt einen Verantwortlichen ans Telefon zu bekommen. Schließlich gelang es mir, aber er versuchte mich mit der Erklärung abzuwimmeln, man habe die Genehmigungen der Polizei wie der Feuerwehr, die die notwendigen Rettungsmaßnahmen mithilfe eines Hubschraubers durchgeführt hatte. Außerdem sei die Frau ja bewusstlos gewesen und hätte deshalb nicht befragt werden können. Nur mit größter Mühe und Druck konnte ich diesen Verantwortlichen davon überzeugen, dass die Persönlichkeitsrechte meiner Frau gewahrt werden müssten.

Ich hatte Monate früher einen Vertrag mit dem Wallgraben Theater in Freiburg für die Rolle des Hoke in dem Stück ›Miss Daisy und ihr Chauffeur‹ abgeschlossen. Ich konnte nicht mehr daraus aussteigen. Über Wochen musste ich in Freiburg spielen, während Friedel nach wie vor im Koma lag. Montags war spielfrei. Am Sonntag nach der Vorstellung fuhr ich nach Köln, um bis Dienstagmittag am Krankenbett meiner Frau sein zu können. Meine Kinder, vor allem meine Tochter Gabriele (genannt Gabe), sahen in meiner Abwesenheit täglich nach ihr.

Schließlich erwachte sie, aber ihr Zustand schien sich nicht zu bessern. Sie lag noch immer auf der Intensivstation. Nachdem mein Engagement in Freiburg beendet war, ging ich täglich zu ihr. Für uns alle war es eine Achterbahn der Gefühle, zwischen Hoffen und Bangen. Mal ging es ihr besser, dann wieder schlechter. Die Abstände wurden immer kürzer. Die Ärzte waren hilflos. Friedel hatte auf der Intensivstation nicht nur einen, sondern nach und nach mehrere Infekte eingefangen, die sie nicht mehr losließen. Am 3. August 1993 schlief sie ein. Sie war schon nicht mehr bei Bewusstsein, als meine Kinder, Enkel und ich uns von ihr verabschiedeten.

Obgleich er nicht ganz überraschend kam, traf mich Friedels Tod wie ein Hammer. Mehr als 46 Jahre waren wir verheiratet gewesen, waren in guten und in schlechten Tagen, in Freud und Leid miteinander verwachsen. Für mich war es wie ein Weltuntergang. Das

Leben ging weiter, die Sonne schien auch am nächsten Tag. Aber ich funktionierte nur noch wie ein Automat, und zwar wie einer, dem die wichtigsten Teile fehlten. Weinen gestattete ich mir nur, wenn ich alleine war. Meine preußische Seite verlangte Disziplin, verlangte, dass ich mich zusammennahm und gegenüber der Familie und der Umwelt nicht zu erkennen gab, wie es wirklich um mich stand. Aber mein Körper machte nicht mit. Eines Morgens wollte ich zur Probe für ein neues Stück fahren. Ich sollte eine Hauptrolle übernehmen und freute mich eigentlich auch darauf. Doch plötzlich konnte ich mein linkes Bein nicht mehr bewegen. Zuerst dachte ich, es sei nur der morgendliche Gliederschmerz. Aber das war es nicht. Mein Bein versagte sich mir völlig. Ich musste die Probe absagen und schließlich auch die Rolle.

Meine Kinder waren sehr besorgt um mich und schleppten mich von einem Arzt zum andern. Keiner konnte sich zunächst meinen Zustand erklären. Mir wäre es am liebsten gewesen, sie hätten mich alle in Ruhe gelassen. Ich versank in eine innere Apathie. Ich hatte noch genügend Disziplin, um mich wenigstens äußerlich nicht zu vernachlässigen, ich wollte eigentlich weiterleben, aber mein Körper wollte nicht wie ich. Die Lähmung im Bein wurde am Ende durch eine Bandscheibenoperation beseitigt. Es blieben aber Schmerzen im ganzen Körper. Meiner Umwelt gegenüber versuchte ich, weiter den funktionierenden Vater und Großvater zu spielen, wenn wir beisammen waren. Kinder und Enkel bemühten sich rührend um mich. Aber mir schmeckte das Essen nicht mehr, ich ließ Mahlzeiten ausfallen, gab vor, schon gegessen zu haben. Und schließlich sah man es mir auch äußerlich an. Ich begann mich zu vernachlässigen und verfiel zunehmend. Ich graulte mich vor jedem neuen Tag und vor der Verantwortung, das tägliche Leben anzugehen.

Es war eine Frau, die mich rettete. Ich kannte sie seit Jahren. Wir hatten gemeinsame literarische Interessen. Aber mehr war es bis dahin nicht gewesen. Plötzlich weckte sie Gefühle in mir, wie ich sie seit Langem nicht mehr gekannt hatte. Ich wachte aus meiner Apathie auf, ich bekam wieder Boden unter die Füße, ich begann wieder zu leben. Es begann eine späte Liebe, mit der ich im Alter von fast siebzig Jahren nicht mehr gerechnet hatte. Es war ein wunderbares Gefühl. Gertraud war seit fünf Jahren Witwe und hatte drei erwachsene Söhne mit eigenen Familien. Wir heirateten im September 1997. Allerdings hatten meine Familie und ich ein halbes Jahr vorher noch einen unersetzbaren Verlust zu verkraften, den Unfalltod meiner Tochter Susan.

In Gertrauds großem Familien- und Bekanntenkreis wurde ich sehr herzlich aufgenommen. Es war, als hätten sie mich schon immer gekannt. Wenn ich auswärtige Engagements hatte, begleitete mich meine Frau. Wir mieteten uns dann eine Wohnung für die Dauer der Proben und Vorstellungen. Wir hatten eine herrliche, ungebundene Zeit, und ich konnte nur Gott dafür danken, dass mir das noch einmal vergönnt war.

Letzte Rollen

Meine letzte große Rolle war der Antonio im ›Kaufmann von Venedig‹. Burkhard Schmiester und ich hatten uns ein Konzept ausgedacht, das sowohl der Rolle als auch meiner Person entsprach. Ich hatte die achtzig bereits überschritten. Der Kollege Stefan Aretz, der den Bassanio spielte, war noch keine dreißig. Wir stellten uns die Frage, warum der unverheiratete Antonio dem Bassanio ohne jegliche Sicherheit eine Bürgschaft für eine hohe Summe gegeben hatte. Schmiester verlegte das Stück in die Gegenwart und ich gab ihm einen homoerotischen Touch. Antonio war in Bassanio verliebt und das nützte dieser schamlos für sich aus. In dem Kreis, in dem Bassanio sich bewegt, ist auch Antonio ein Außenseiter, wie Shylock in der Gesellschaft Venedigs. Die beiden hätten sich eigentlich verbünden müssen. Stattdessen bekämpfen sie sich erbittert. Antonio buhlt um Anerkennung und Respekt der anderen ebenso wie sein Gegenpart Shylock, dem dies gesellschaftlich allerdings von vorneherein versagt ist. Das Konzept stimmte, dieser ›Kaufmann‹ wurde vom Publikum angenommen.

Ein anderer Höhepunkt meines späten Theaterlebens war eine Rolle in dem Theaterstück ›I Have a Dream‹ von Gerold Theobalt. Das Stück kann man nur mit schwarzen Schauspielern aufführen. Das Kempf-Tournee-Theater aus Grünwald bei München ging das Wagnis ein. Margrit Kempf engagierte den großartigen und vielseitigen Ron Williams für die Rolle des Martin Luther King jr. und die berühmte Opernsängerin Felicia Weathers, die auf allen großen Bühnen der Welt zu Hause war, als seine Mutter, genannt Bunch King. Ich gab den Vater Martin Luther King sr., genannt Daddy King. Die Regie führte Helmuth Fuschl.

Das Stück wurde ein voller Erfolg. Wir spielten etwa 300-mal auf vielen Bühnen in Deutschland, in Österreich, der Schweiz und auch in Luxemburg und Südtirol. Nicht alle Kollegen konnten bei allen Aufführungen mitspielen, weil sie noch andere Verpflichtungen hatten. Die beiden »weißen« Kollegen Matthias Heidepriem und Jörg Reimers sowie wir drei »Schwarzen« bildeten den harten Kern und die Basis für den kontinuierlichen Erfolg dieses Stückes. Die Vorstellungen waren meistens ausverkauft, oft saßen zum Missvergnügen der Feuerwehrleute junge Leute noch in den Gängen des Zuschauerraums, weil kein Platz mehr vorhanden war. In der Regel gab es am Schluss stehenden Applaus.

Diese Zeit ist mir auch deshalb in besonderer Erinnerung, weil sie so harmonisch war wie selten in der Theaterwelt, wo sich hinter den Kulissen ja oft noch heftigere Kämpfe abspielen als auf der Bühne. Immerhin spielten wir insgesamt – wenn auch mit langen Unterbrechungen – etwa vier Jahre zusammen. Es gab Differenzen, aber sie waren nie so gravierend, dass man sich nicht freudig in die Arme gefallen wäre, wenn eine weitere Tournee begann. Zwischen den einzelnen Aufführungsorten waren wir oft lange mit dem Bus unterwegs. Dann spielten wir leidenschaftlich Skat, nach den allgemeinen deutschen Skatregeln. Die wurden ergänzt durch interne Rituale. Erst wenn das Straßenschild des letzten Spielortes hinter uns lag, durften die Karten hervorgeholt werden. Sobald das Straßenschild des nächsten Spielortes auftauchte, mussten sie wieder weggesteckt werden. Es gab einen amerikanischen Kollegen, Calvin E. Burke, der noch nie von diesem ur-deutschen Kartenspiel gehört hatte, aber unbedingt mitspielen wollte. Innerhalb von zwei Tagen brachten wir es ihm bei und am Ende der Tournee war er fast ein Meister und steckte uns andere in den Sack.

Wenn ich über mein Leben nachdenke

In meinen fast neunzig Lebensjahren habe ich viele Tätigkeiten und Berufe ausgeübt. Es ist eine lange Liste und am Anfang steht »der kleine Negerjunge mit dem Baströckchen« aus der Völkerschau. Das Baströckchen wurde mir immer nachgetragen, auch als ich ihm längst entwachsen war. »Können Sie singen, können Sie tanzen? Nein? Aber ein Neger muss doch singen und tanzen können.« Oder andersherum: »Sie bewegen sich wie wir, Sie sprechen wie wir, na ja, so schwarz sind Sie ja auch nicht.« Die Sache mit der Rasse ist bis heute in den Köpfen verankert. Das lässt sich auch an den kleinen Dingen des Alltags erkennen.

Es kann passieren, dass der Passbeamte bei einer Wiedereinreise aus dem europäischen Ausland alle durchwinkt und mich aufhält: »Ihren Pass, bitte.« Ich frage: »Wieso?« Er sagt: »Dies ist eine allgemeine Personenkontrolle.« »Aber Sie haben doch die anderen Fahrgäste durchgewinkt, warum halten Sie mich auf?« Darauf er: »Sie reisen hier aus dem Ausland in die Bundesrepublik ein und ich habe das Recht, Ihre Papiere einzusehen!« Ich reiche ihm meinen Pass und bemerke, wenn dem so sei, dann müsse er ja die Personalpapiere aller Fluggäste verlangen. Ich mache diese Bemerkung leise und unaufgeregt. Aber sie zieht mir den Unmut der Passagiere zu, die nach mir kommen. Denn nun tut der Passbeamte genau das. Wir beide wissen natürlich genau, dass er mich nur wegen meiner Hautfarbe kontrolliert hat. Alle anderen Passagiere waren aber weiß und sie interessierte das nicht.

Doch die Bundesrepublik Deutschland ist kein rassistischer Staat. Viele Betroffene denken so, aber ich glaube das nicht. Das

Grundgesetz steht dagegen und die Rechtssicherheit, die es garantiert. Die heutige Staatsform ist die beste, die es in diesem Land je gab. Das heißt nicht, dass sie nicht noch verbesserungswürdig wäre. Zum Beispiel im Hinblick auf die Zuwanderungspolitik. Aber auch das Bewusstsein der meisten Menschen hat sich verändert. Dennoch ist die Bundesrepublik ein Land, in dem nach wie vor rassistisch denkende Menschen leben. Mit diesen Menschen und diesem Gedankengut muss man sich auseinandersetzen, dem muss man entgegentreten. Und dies auch in anderen Ländern Europas.

Wenn ich über dieses Leben nachdenke, geht es mir wie dem Mann in dem Gedicht ›Spuren im Sand‹ von Margret Fishback Powers. Dieser Mann klagt Gott an, er sei von ihm verlassen worden, weil er nur eine Fußspur im Sand sieht, und hat gar nicht gemerkt, dass er in seiner schlimmen Zeit von Gott getragen wurde. Ich weiß heute, dass ich durch das Leben geleitet wurde und das Wort aus der Bibel »… denn er hat seinen Engeln befohlen, dass sie dich behüten auf allen deinen Wegen …« (Psalm 91,11) für mich seine volle Gültigkeit hat, wie auch der gesamte 23. Psalm, aus dem der damals von mir nur widerwillig akzeptierte Konfirmationsspruch stammt: »Der Herr ist mein Hirte …« Doch es gibt noch ein anderes ambivalentes Gefühl, das mich manchmal erfüllt, wenn ich etwa an die Nazizeit denke. Ingeborg Hecht, als »Mischling ersten Grades« ebenfalls verfolgt, hat es in ihrem Buch ›Als unsichtbare Mauern wuchsen‹ sehr genau beschrieben: »Wir waren rechtlos gewesen, haben nichts Gescheites lernen, keine Existenz aufbauen können und nicht heiraten dürfen. Wir haben die Angst mit denen geteilt, die die Verfolgung nicht überlebten – und wir haben die Scham erleiden müssen, es besser gehabt zu haben als … die Freunde und Kameraden. Wir haben das (aber) nicht unversehrt überstanden.«

Danksagung

Dieses Buch wäre nie geschrieben worden, wenn nicht die Kinder und Enkel aus zwei großen Familien mich seit Jahren ständig gedrängt hätten, meine Erinnerungen zu Papier zu bringen.

Meine Kinder haben wegen ihrer Abstammung noch selber Abweisungen, Ausgrenzungen, Beleidigungen und puren Rassismus erleben müssen. Ihre Kinder, die Urenkel von Theophilus Wonja Michael aus der deutschen Kolonie Kamerun, deren afrikanische Herkunft kaum sichtbar ist, haben diese negativen Erfahrungen kaum noch machen müssen. Deshalb sind sie eher stolz auf ihre afrikanische Abstammung und ihr Aussehen. Es stellt sich die Frage: Wann ändert sich die Haltung gegenüber auf den ersten Blick fremd erscheinenden Menschen deutscher Zunge und Staatsangehörigkeit?

Unsere heutige Gesellschaft kennt keinen staatlich verordneten Rassismus, obgleich Rassimsmus noch immer in der einen oder anderen Form vorhanden ist, und von persönlich betroffenen Menschen in untersehiedlicher Art und Weise wahrgenommen wird.

Mein Dank geht an die Kinder und Enkel aus den Familien Michael, Schell und Koehler, die mich direkt und indirekt bei der Erstellung dieses Buches unterstützt haben. Besonders an Jens, der in der ersten Zeit, bis ich endlich das »Zwei-Finger-Such-System« beherrschte und selber schreiben konnte, vor großen Problemen stand, wenn er meine schwer lesbare Handschrift dem Computer anvertrauen musste. Ebenso an Burkhard, der mir vor allem wegen meiner fehlenden Begabung in Sachen Computer eine sehr große Hilfe war.

Nicht weniger gilt mein Dank meiner Frau Gertraud, die mich mit viel Geduld und Ausdauer immer wieder zu motivieren wusste, wenn ich – wie so oft – wieder einmal nicht weiterschreiben konnte oder wollte.

Es war aber auch die Ermutigung und der Zuspruch junger Menschen aus der afrodeutschen Diaspora, die mehr über das Leben und Überleben von »schwarzen« Menschen in einer »weiß« bestimmten und manchmal auch rassistischen Welt wissen wollten.

Mein besonderer Dank geht an meinen Agenten Joachim Jessen und an meine Lektorin, Frau Dr. Andrea Wörle, die mit viel Sachkenntnis, Verständnis und notwendigen Korrekturen das Erscheinen dieses Buches möglich machte.

Theodor Michael
August 2013

Nachwort

Dieses Buch hat mich sehr bewegt. Ich kenne Theodor Michael seit Jahren, zunächst als einen, der in seiner Kölner Kirchengemeinde Verantwortung übernommen hatte, der mitarbeitete und sich sozial engagierte. Über seine Kindheit und Jugend als Sohn eines afrikanischen Vaters und einer früh verstorbenen deutschen Mutter hat er manchmal angedeutet, welche Probleme in der Zeit des Nationalsozialismus zu bewältigen waren.

Nun legt er seine Autobiografie vor. Sie entfaltet das Heranwachsen eines Menschen, der nach der damals herrschenden Ideologie als »rassisch minderwertig« und daher nicht zum deutschen Volk gehörig galt. Als sogenannter Mischling durfte er kein Gymnasium besuchen, konnte keinen Beruf ergreifen, weil er nicht in die »Arbeitsfront« aufgenommen wurde.

Das Buch schildert die Bürokratie der Nazizeit; man hat den Eindruck, dass Bürokratie systemübergreifend ähnlich ist. Theo Michael vermittelt erschütternden Einblick in das Fürsorgesystem, dem er nach dem Tode des Vaters ausgesetzt war. Unter dieser sogenannten »öffentlichen Erziehung« litten nicht nur Kinder und Jugendliche wie er. Und nicht nur während der Nazizeit.

So fühlte er sich »eingeübt in eine lange Liste von Verlusten an Liebe, Vertrauen und Geborgenheit«. Er musste sich ducken, verkriechen und durfte nicht auffallen.

Er und seinesgleichen wurden in Völkerschauen vorgeführt, um vergangene deutsche Kolonialherrschaft bewusst zu halten; es gab kleine Nebenrollen beim Film und im Theater, zumeist mit ähnlicher Absicht.

Der Sohn eines afrikanischen Vaters war gesellschaftlich geächtet. Daraus folgte bei vielen seinesgleichen Verfolgung und Vernichtung. Letzteres ist ihm erspart geblieben, doch es gibt diese abschüssige Bahn: Verachtung – Ächtung – Verfolgung – Vernichtung. Da zeigt sich die dunkle Seite deutscher Geschichte. Wir kennen diese abschüssige Bahn im Blick auf das Schicksal der Juden. Sie ist die Versuchung in jeder Generation und in jedem Volk im Blick auf andere Völker, Minderheiten.

Man kann so allen Hass auf die Minderheiten schütten, auch alle eigenen Fehler und Minderwertigkeit. Sie sind die bequeme Ursache aller Schändlichkeiten. Rechtsradikale Wellen machen sich auch heute im Lande immer deutlicher bemerkbar. Die Irregeleiteten bedienen sich wieder rassistischer Vorurteile. Anders als in der Nazizeit steht die Mehrheit gegen diese Erscheinungen. Und die Behinderten, die Juden, die Fremden, die Farbigen haben Recht und Gesetz auf ihrer Seite. Aber wir müssen den Anfängen wehren, die Folgen könnten wieder schrecklich werden. Theodor Michael hat gelernt, dass die eigene Würde und die jedes Menschen Gottes Geschenk ist. Darum trägt er Verantwortung für andere und für unser Gemeinwesen und setzt sich ein, wo die Würde anderer beschädigt wird. Und so will er einschärfen, dass Verantwortung eine lebendige, auf Gegenwart und Zukunft bezogene Pflicht bleibt oder wird, damit das Zusammenleben der Menschen in unserem Land und der ganzen Menschheit besser gelingt. Dazu brauchen die Menschen Visionen, Geduld und permanente Lernbereitschaft. Abschottung der Einheimischen und Gettobildung unter den Fremden sind Alarmsignale, deren Ursachen wahrgenommen und ernstgenommen werden müssen.

Eine Leitlinie seines bewegten Lebens wurde sein Konfirmationsspruch, der Beginn des 23. Psalms. Den hatte er sich nicht ausgesucht, er konnte damals als Vierzehnjähriger auch nichts mit ihm anfangen, denn sein Leben spielte nicht auf grüner Aue und an gedecktem Tisch. Erst im Rückblick auf eine lange Lebenszeit hat sich ihm der Psalm erschlossen. Er erkannte, wie er im Letzten doch geborgen war – gerade da, wo er niemanden hatte.

Gott setzt sich ein, er kümmert sich, den Ort zu finden, wohin wir gehören: grüne Weide, frisches Wasser. In den Bildern des Glaubens trauen wir uns, ja sehnen uns letztlich doch danach, solche Bilder zu haben, wenn alle Worte versagen: »Und ob ich schon wanderte im finstern Tal, fürchte ich kein Unglück.« Oder das andere Bild des Psalms: »Im Angesicht meiner Feinde bereitest du mir einen Tisch.« Diese Bilder wollen nicht einschläfern, sondern hellwach machen und die angemaßten Hirten zu allen Zeiten entlarven. Mündig sind wir und haben zu antworten auf die Frage an Kain: »Wo ist dein Bruder Abel?« Theo Michael hat sich später lange Jahre darum gekümmert, hat als Journalist die politischen Wirren und die mühseligen Kämpfen im nachkolonialen Afrika zu durchschauen versucht und persönlich Hilfe geleistet.

»Ich fürchte kein Unglück, denn Du bist bei mir ...« – Mitten in den Ängsten des Lebens sind Trost und Frieden nahe. Die finsteren Täler schrecken nicht mehr. Es ist die unzerstörbare Güte und das Geleit des Gottes, der durch alle Tiefen vorangeht.

Manfred Kock, Präses der Evangelischen Kirche in Deutschland i. R.

Köln, August 2013